Amanda et le génie

Conception graphique de la couverture: Martin Dufour
Illustrations couverture et intérieur: Michèle Devlin

The Toothpaste Genie
Copyright © 1981 by France Duncan
Publié par Scholastic-TAB Publications Ltd.

Dépôts légaux: 1er trimestre 1984
Bibliothèque nationale du Québec
Bibliothèque nationale du Canada

ISBN: 0-7773-4433-5   Imprimé au Canada

LES ÉDITIONS HÉRITAGE INC.
300, Arran, Saint-Lambert, Québec J4R 1K5
(514) 672-6710

PZ
2401
D86T664
1984

Amanda
et le génie

FRANCES DUNCAN

traduit de l'anglais par
MARIE-ANDRÉE CLERMONT

ÉDITIONS HÉRITAGE
MONTRÉAL

CHAPITRE 1

UN DENTIFRICE ORIGINAL

— Hic! . . . hic!

Un puissant hoquet interrompit Amanda au beau milieu de son plaidoyer, lui faisant glisser les lunettes sur le bout du nez. La fillette s'empressa de les remettre en place.

— Tiens-toi donc tranquille! implora madame Atkins, dont la voix paraissait sortir du haut chevalet de peintre installé devant elle. Je n'en ai plus pour très longtemps.

Amanda s'esclaffa: elle ne voyait de sa mère que les jambes, et c'était comme si le chevalet s'était chaussé à l'envers. En fait, il lui semblait que, dès l'instant où elle s'emparait de son pinceau, sa mère se transformait en chevalet, un chevalet sourd avec les pieds sens devant derrière.

Amanda sentait s'insinuer dans sa gorge un nouveau hoquet. Elle eut beau aspirer un bon coup, s'efforcer de garder l'air dans ses poumons en comptant jusqu'à cent, rien n'y fit! Et il explosa dans le studio:

— HIC!

"Si j'avais un verre d'eau, pensait Amanda, je pourrais le boire par le mauvais côté . . . ou si j'avais un sac de papier, je pourrais souffler dedans . . . ou si je pouvais me pincer le nez . . ."

Mais elle ne devait pas bouger quand elle posait, et elle céda une dernière fois:

— Hic.

— Tu sais, maman, reprit-elle, je pourrais livrer le journal; Sandra gagne quinze dollars par mois comme camelot! Et si je cessais de prendre des cours de piano, eh bien, tu sauverais... c'est combien déjà? Huit dollars chaque leçon? Un petit calcul... une fois par semaine, donc cinquante-deux fois huit, soit six, je retiens un, euh! et quarante plus un, tu sauverais donc quatre cent seize dollars par année, plus mon salaire de camelot, c'est-à-dire... Combien font douze fois quinze, déjà? Dis, m'man, douze fois quinze? Maman?

— Mnnm, répondit madame Atkins.

Amanda se redressa. Ce "mnnm" signifiait que la séance tirait à sa fin. Tant mieux! La fillette tenta de faire bouger ses orteils ankylosés.

— Douze fois quinze? répéta-t-elle en s'efforçant de garder les lèvres immobiles. Tu le sais, maman?

— Cent quatre-vingts.

— Donc cent quatre-vingts, plus, combien déjà? quatre cent quelque chose. En tout cas, ça fait plus de cinq cents dollars d'économie, et même tout près de six cents! Et chaque année, tu te rends compte! Avec tout cet argent, nous pourrions certainement nous permettre un bébé, maman. Elle s'appellerait Sarah, et je partagerais ma chambre avec elle. Je m'en occuperais, tu sais, et ça te ferait une nouvelle *vérité* à capter dans tes peintures en plus de la mienne. Qu'en dis-tu? Six cents dollars de plus par année pour que tu puisses avoir un autre bébé, m'man! Sarah Jane! Tu aurais désormais Sarah Jane Atkins en plus d'Amanda Élizabeth Atkins. Alors, tu es d'accord, dis?

— Non. Pas de bébé, répondit madame Atkins, dont le visage aux joues tachetées de bleu émergea hors du chevalet. Allez, séance terminée. Tu peux descendre.

Se levant, Amanda s'étira pour secouer les aiguilles qui envahissaient sa jambe; celle-ci était tellement engourdie que la fillette faillit tomber. Elle dut sautiller à cloche-pied jusqu'au vase, dans lequel elle remit le lilas qu'elle avait tenu pour la pose.

Bien sûr, ça lui plaisait d'avoir pour mère une artiste, mais pourquoi donc fallait-il que ce soit elle, Amanda, qui lui serve de modèle? De toute façon, les peintures, une fois finies, lui ressemblaient si peu; à peine si elle y reconnaissait parfois la monture de ses lunettes ou, d'autres fois, sa longue chevelure noire. Deux années auparavant, elle avait même éclaté en sanglots à la vue d'un portrait que sa mère venait d'achever. C'était elle, cette mixture hideuse de traits irréguliers et de taches disgracieuses? Jamais elle ne s'était crue *laide* à ce point! C'était à cette occasion que sa mère lui avait parlé de l'"essence et de la vérité des êtres", qu'elle exprimait en peinture. Amanda n'y avait d'ailleurs pas compris grand-chose, mais elle avait tout de même cessé de s'en faire à ce propos.

— Pas de bébé, répétait sa mère. Nous en avons pourtant déjà discuté. Même six cents dollars de plus par année ne suffiraient pas à défrayer les coûts occasionnés par un nouvel enfant. (Et incidemment, il n'est aucunement question que tu abandonnes ton piano.) Ton père et moi avons convenu de n'avoir qu'un bébé, et il se trouve que nous sommes très contents de celui, de celle, devrais-je dire, que nous avons.

Amanda fit la moue. Au ton de sa mère, elle comprenait que la discussion était bel et bien terminée ... du moins pour aujourd'hui.

"Tout de même, si je prenais deux routes de journaux, une avant l'école, et l'autre, après ...?"

— Tu dis, maman?

— Je veux que tu ailles au magasin chercher du pain, du lait et du fromage, dit madame Atkins, sans quitter sa toile des yeux. Tiens, achète donc aussi du dentifrice; et tâche d'en trouver un dont tu vas vraiment te servir. Franchement, si j'avais dû te peindre les dents, aujourd'hui, il m'aurait fallu utiliser du vert!

Malgré le sourire qui en atténuait la malice, Amanda ne prisa guère la remarque:

— Oh! maman, protesta-t-elle en se passant la langue sur les dents d'en avant, elles ne sont pas si sales!

— Du dentifrice, répéta madame Atkins, en reportant son attention sur son oeuvre.

Amanda alla prendre un billet de cinq dollars dans le sac à main de sa mère, auquel elle ajouta quarante cents de son propre argent pour s'acheter une tablette de chocolat. Puis, après avoir fait rouler son dix-vitesses hors de l'abri, elle l'enfourcha dans une superbe envolée.

Il faisait un temps splendide! Le soleil avait cet éclat particulier qu'il ne peut avoir qu'à la toute première fin de semaine de mai.

Journée rêvée pour construire un fort, jouer à la balle ou lancer des cerfs-volants ...

"La seule chose qui cloche en ce beau samedi, se disait la fillette, c'est d'avoir dû en passer une si grande partie à l'intérieur, avec ou sans petite soeur à promener dans un landau ou à dorloter sur la pelouse."

Temps idéal, aussi, pour l'équitation, pour la galopade, et Flamme le savait bien! Lui non plus ne demandait pas mieux que de partir à fond de train, mais Amanda, debout sur ses pédales, serra les freins pour refréner ses ardeurs, inquiète de la dureté de l'asphalte sous ses sabots.

Amanda n'aurait jamais révélé à qui que ce soit que son vélo était plus qu'un vélo pour elle, qu'il s'agissait, en fait, d'un étalon alezan énorme qu'elle seule pouvait monter. Jeune poulain, il avait perdu sa mère et Amanda l'avait recueilli, élevé et entraîné; c'est pourquoi elle était la seule personne au monde qu'il aimât. Il la suivait partout et elle lui confiait tous ses secrets.

Flamme franchit sans peine la brèche de deux mètres de haut qui obstruait le trottoir, réussit à ne mouiller qu'un seul de ses sabots en enjambant la flaque d'eau, et galopa allègrement le long de la piste qui menait tout droit au magazin de monsieur Fung, sous les bravos enthousiastes de la foule massée de part et d'autre. Amanda lui signifia de l'attendre au support à vélos et lui fit une dernière caresse avant d'entrer.

Monsieur Fung était en train de servir un client, mais il n'en sourit pas moins à Amanda. Il lui avait déjà confié qu'elle lui rappelait sa propre fille lorsqu'elle était petite et depuis, il plaisantait avec elle à chacune de ses visites. Amanda, pour sa part, ne se trouvait pas *petite*. Pourquoi donc les adultes persistaient-ils à s'exclamer: "Mais que tu as donc grandi!" comme s'ils s'attendaient à la voir se ratatiner.

Amanda huma le doux parfum des biscuits et des bonbons, le riche arôme du café, la senteur poussiéreuse des boîtes de céréales et de papiers-mouchoirs, tout en se disant que ce serait bien agréable de posséder un commerce. Elle prenait toujours son temps quand elle magasinait, examinant attentivement toutes les marchandises, lisant les étiquettes, remettant en belles piles les boîtes de conserve laissées de guingois par les clients précédents. Elle faisait aussi semblant, parfois, de jouer à cache-cache dans les allées.

Elle finit par ouvrir l'armoire froide, dont elle sortit le lait et le fromage, et se dirigea sans se presser vers la tablette des produits de boulangerie, où elle prit le pain; puis, après avoir admiré les minets sur les boîtes de nourriture pour chats et les verts et les rouges éclatants des pots de cerises au marasquin, elle trouva enfin l'étalage des dentifrices.

Quatre sortes de pâte à dents s'y faisaient concurrence, toutes quatre bleu-blanc-rouge, toutes au même prix, toutes au fluorure. Mais non! Il y en avait cinq. Dissimulée derrière les piles bleu-blanc-rouge, vaguement poussiéreuse comme si elle attendait là depuis un bon bout de temps, se trouvait une autre boîte. D'un mauve vif strié de rayures vertes, elle était la seule de son espèce. Amanda la prit dans ses mains, souffla sur la poussière et lut l'étiquette.

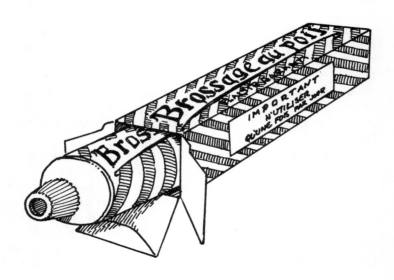

Brossage au poil
Plaisir garanti
IMPORTANT:
N'UTILISER QU'UNE FOIS PAR JOUR

"Voilà un dentifrice à mon goût!" marmonna Amanda dans un grognement de satisfaction.
— D'où ce tube peut-il bien venir? s'étonna monsieur Fung lorsque Amanda déposa ses emplettes sur le comptoir, à la caisse. As-tu déjà entendu parler de cette marque?
— Non! Mais ça me plaît assez, un dentifrice qu'on n'a pas le droit d'utiliser plus d'une fois par jour, malgré que ce soit encore trop!

"Et le pauvre, pensait-elle, il avait l'air de s'ennuyer, tout seul sur la tablette!"

Dans un sourire, monsieur Fung emballa ses achats et lui rendit la monnaie, qu'elle enfouit dans sa poche de jeans. Avec ses quarante cents bien à elle, elle se paya alors une tablette de chocolat pour le trajet du retour.
— Me voici! cria-t-elle en faisant irruption dans la maison.

Mais la porte du studio de sa mère demeurait fermée. Elle alla ranger le lait et le fromage dans le frigo, revint dans le couloir, d'où elle lança le tube de dentifrice en direction de la vanité de la salle de bains; mais elle rata et le tube rebondit sur la baignoire avant d'atterrir sur le plancher. Sans plus s'en préoccuper, Amanda saisit un livre de bandes dessinées et sortit au jardin déguster le reste de son chocolat. Après en avoir savouré la dernière parcelle et plié le papier jusqu'à la plus petite dimension, elle se rappela la remarque de sa mère et se passa la langue sur les dents, qui lui parurent, effectivement, quelque peu rugueuses.

Elle revint donc dans la salle de bains, prit sa brosse à dents et ramassa le dentifrice, qu'elle retira de son emballage cartonné. Mettant celui-ci de côté, dans l'intention de le conserver, elle examina le tube lui-même, également rayé mauve et vert et portant, lui aussi, en caractères anciens, les mots *Brossage au poil,* écrits en rouge. Elle dévissa le capuchon orangé et pressa sur l'extrémité du tube. Une bulle minuscule s'en échappa dans un bruit de rot, comme si de l'air s'était trouvé comprimé dans le tube. Le dentifrice, mauve également, semblait emprisonné à l'intérieur. Elle appuya plus fort: un "pop" se fit entendre, puis la bulle se mit à grossir, et à grossir encore, à GROS-SIR tellement qu'Amanda faillit en échapper le tube. Le maigre serpent de pâte qu'elle s'attendait à voir gicler ne se manifestait toujours pas; à la place, émergeait cette énorme bulle mauve qui n'en finissait pas de gonfler, lentement, uniformément . . . atteignant maintenant des proportions égales à la moitié des dimensions de la fillette.

Les yeux fixés sur la bulle mauve pâle, Amanda remarqua un objet plus mauve encore à l'intérieur, dont elle ne put, tout d'abord, distinguer le contour un peu flou; petit à petit, cependant, la forme se précisa. Il s'agissait d'un être apparemment du sexe masculin, replet, muni d'une tête ronde aux joues rebondies séparées par un nez menu, et coiffé d'une courte chevelure verte. Assis à l'indienne au centre de sa bulle, il fumait une pipe mauve incurvée. Il portait un pagne rouge, qui, aux yeux d'Amanda, avait l'air d'une couche géante.

Sans se presser, il retira la pipe de sa bouche et une moue de déception se peignit sur son visage.

— Une gamine! s'écria-t-il. Une simple gamine! Et moi qui espérais tomber sur quelqu'un d'important, même s'il s'agit de mon tout premier emploi!

Après avoir tiré trois bonnes bouffées de sa pipe, il reprit dans un soupir:

— Enfin! *Quelqu'un* a fini par m'acheter, c'est toujours ça, même si ce n'est qu'une gamine! En fait de confort, il y a mieux qu'un tube de dentifrice . . . Je me demande d'ailleurs ce qui leur a pris de m'enfermer là-dedans! Il y a tout de même plus d'espace dans un pot de verre ou dans une

16

lampe. Enfin ... il faut vivre avec son temps, j'imagine!
Mais, dans ce cas, pourquoi ne m'ont-ils pas mis dans un
pot de café ou un téléviseur, ou encore dans un four à
micro-ondes? Hein? Peux-tu me le dire?
Mais Amanda continuait de le fixer, sans répondre.

— On ne t'a pas appris la politesse, fillette? Je sais bien
que tout le monde de nos jours le fait, mais ce n'est pas
poli de reluquer quelqu'un comme ça! Qu'est-ce que tu
t'attendais donc à trouver dans le tube? Du dentifrice,
peut-être? Allons, tu sais bien que c'est un génie que tu
voulais, au fond! Ce n'est pas n'importe qui qui nous
achète, nous, génies; ça prend des gens qui nous désirent.
Mais veux-tu bien cesser de me dévisager comme ça et te
décider enfin à me dire quelque chose!

La gorge serrée, Amanda réussit à demander:

— Es-tu un vrai génie, comme celui de la lampe
d'Aladin?

— Mais bien sûr que je suis un vrai génie! Qu'est-ce que
tu crois, que je suis une chimère sortie de ton imagination?
Je sais bien que c'est ce que tout le monde pense, de nos
jours, mais laisse-moi te dire, ajouta-t-il en agitant le
tuyau de sa pipe dans sa direction, que l'imagination est à
la baisse, voilà! Pour ton information, le génie d'Aladin se
trouve à être mon arrière-arrière-arrière-arrière-petit-cou-
sin, côté maternel. Et ce qu'il lui a fallu travailler, le
pauvre! Un vrai tyran, cet Aladin, un ambitieux, jamais
satisfait, pas même capable de dire merci, ne fût-ce qu'une
seule fois! J'espère, en tout cas, que tu n'es pas comme lui!

— Oh! non, pas du tout, du moins je ne le pense pas.
Quoique pour ma part, je le trouve plutôt sympathique,
Aladin; après tout, il aidait sa mère et distribuait des biens
aux pauvres. Mais toi, es-tu comme le génie d'Aladin?
Enfin, je veux dire, est-ce que tu exauces des voeux et des
choses comme ça?

— Eh oui! J'exauce des voeux et des choses comme ça.
Mais une fois par jour, seulement, comme tu peux le lire
sur l'étiquette. Par ordre du syndicat.

19

— Tu fais partie d'un syndicat?

— Bien sûr que je fais partie d'un syndicat! Je ne suis peut-être rien qu'un apprenti, mais je travaille, non? Je ne veux pas qu'on m'en demande trop! Bon, maintenant, passons aux choses sérieuses. Formule ton voeu. Tout ce verbiage m'a fatigué et les génies, tu sais, ont besoin de beaucoup de sommeil.

Amanda se dandina sur un pied, puis sur l'autre, jetant un regard circulaire sur la salle de bains. Mais ses yeux revenaient toujours sur le génie, qui continuait de la fixer d'un air ennuyé et courroucé tout à la fois. Et plus il la fixait, moins elle pouvait penser. Elle se rongeait les ongles, indécise.

— Je ne trouve rien à souhaiter, finit-elle par avouer.

Dans un soupir exaspéré, le génie retira la pipe de sa bouche et leva les yeux au ciel:

— Bravo, ironisa-t-il, on peut dire que je suis bien tombé, franchement! Rien à souhaiter! Vraiment! Mais tout le monde peut trouver quelque chose à souhaiter, voyons donc!

Se rendant compte qu'elle tenait toujours sa brosse à dents, Amanda la déposa sur la vanité. Elle aurait bien eu deux souhaits à formuler, un cheval et une petite soeur, mais a-t-on jamais entendu parler de souhaits véritablement exaucés par un génie? Comment d'ailleurs croire que le génie les lui accorderait? Et si elle demandait un cheval, par exemple, où le garderait-elle? Et comment justifier la présence de l'animal aux yeux de ses parents?

Non, impossible de formuler ses voeux les plus chers avant d'analyser le problème plus à fond. Elle avait besoin de temps pour réfléchir à tout cela. Il s'agissait donc de trouver à souhaiter quelque chose de pas trop gros, mais qui lui permettrait de vérifier la compétence du génie.

Si seulement il cessait de braquer les yeux sur elle! En désespoir de cause, elle porta un dernier regard autour d'elle, à la recherche d'une inspiration, mais elle revint, une fois de plus, à la bulle mauve.

"S'il y a un génie dans le tube de dentifrice, se dit-elle, c'est donc qu'il n'y a pas de pâte à dents!"
— Je souhaite avoir un tube de véritable dentifrice, lança-t-elle alors.
À l'instant même, un tube de dentifrice apparut sur la vanité, juste à côté du lavabo.
— Mais, ça marche! s'exclama-t-elle. Tu as réussi.
Elle prit le nouveau tube et remarqua qu'il portait même une étiquette de prix.
— Formidable! s'extasia-t-elle. Et maintenant, je souhaite avoir . . .
— Tut, tut, tut! l'interrompit-il sévèrement, en agitant sa pipe. Une fois par jour, seulement, ne l'oublie pas. Bon, eh bien, c'est tout pour aujourd'hui. Salut.
Son "salut" flotta dans l'air quelques secondes avant de s'estomper, tandis que le génie se ratatinait pour réintégrer son tube. Le processus de réduction s'avéra beaucoup plus rapide que celui du gonflement. Mais, avant de disparaître complètement, il s'arrêta pour dire, d'une pauvre petite voix chevrotante:
— N'oublie pas de remettre mon capuchon, sinon je vais me volatiliser.
Avec précaution, Amanda revissa le capuchon orangé. Puis elle courut à sa chambre, ouvrit le tiroir de sa commode et enfouit le tube sous une pile de chaussettes. Mais, se ravisant, elle le reprit et le fourra tout au fond de sa penderie, sous une boîte de vieux valentins, là où personne ne pourrait jamais le trouver. Il régnait un tel fouillis dans sa penderie!

CHAPITRE 2

UN VOEU PAR JOUR

Le lendemain matin, Amanda s'éveilla en pensant au génie, se demandant si le moment était bien choisi pour souhaiter un cheval ou une petite soeur. Pelotonnée dans ses couvertures, les yeux sur les motifs dessinés par le soleil dans les rideaux, elle tentait de déterminer lequel elle voulait le plus fort, du cheval ou du bébé, et de voir où elle pourrait bien garder l'un ou l'autre, si jamais son voeu se réalisait. Peut-être devrait-elle d'abord demander une étable, un pâturage, une selle et une bride, ou encore un berceau, un parc d'enfant et des couches, avant d'en arriver aux véritables objets de ses désirs. Ou, qui sait si, par une formulation astucieuse, elle ne pourrait pas obtenir tout à la fois, en dépit de l'avertissement du génie de n'accorder qu'un seul voeu par jour?

Elle se retourna de l'autre côté. Plus elle réfléchissait, plus tout s'embrouillait. C'était certainement plus facile de camoufler un tube de dentifrice qu'un bébé ou un cheval. Et elle sentait qu'il valait mieux ne pas parler du génie à ses parents, qui ne priseraient pas cette magie, si toutefois le génie possédait réellement des pouvoirs. Tout cela semblait assez difficile à croire.

Amanda ne pouvait plus demeurer dans les draps humides et tout entortillés qui lui collaient à la peau.

"Mais c'est tellement invraisemblable! se disait-elle. Peut-être ne s'est-il rien passé du tout, hier? D'ailleurs, un génie dans un dentifrice, quelle histoire abracadabrante!" Sautant à bas du lit, elle se mit à farfouiller dans le fond de sa penderie, faisant voler un peu partout pièces de jeux de société, morceaux de puzzle, éléments de construction, vêtements de poupée et valentins. Le tube s'y trouvait toujours. Le ramassant, elle le retourna en tous sens. Un tube de dentifrice original, il fallait le reconnaître, avec ses couleurs mauve, vert, rouge et orangé, mais un tube de dentifrice tout de même, sans rien de magique, en apparence. Peut-être, après tout, était-il plein de pâte à dents? Et peut-être le génie n'était-il qu'une chimère, fruit de son imagination trop fertile?

"Ce ne serait pas la première fois que mon imagination me joue des tours!" reconnut-elle.

Mais il lui fallait une certitude. Le coeur battant, elle commença donc à dévisser le capuchon, tout à fait consciente de l'impression qu'il faisait sur ses doigts tremblants, si tremblants en fait que, dès qu'elle eut fini de dévisser, le capuchon lui tomba des mains, roula dans le fouillis de sa penderie et se perdit sous un livre de bandes dessinées. Elle l'entendit tinter contre un jouet et se pencha pour le ramasser.

— Eh! là, attention à ce que tu fais, gamine! Sais-tu que ça fait mal?

Levant les yeux, Amanda vit le génie se frotter le coude. Elle avait dû le cogner contre le cadre de porte en se penchant.

— Excuse-moi, bredouilla-t-elle.

— Bon, ça va . . . maugréa-t-il, se frottant encore pour lui faire bien comprendre. Eh bien! qu'est-ce que tu veux?

Le coeur lui battant toujours très fort, Amanda s'aperçut qu'elle avait peur: c'était déjà pas mal angoissant de posséder *réellement* un génie dans un tube de dentifrice; mais quand ce génie s'avisait, par surcroît, de se mettre en colère, il y avait de quoi frémir.

— Qu'est-ce que tu veux? insista-t-il.

— J ... je voulais juste savoir si tu étais toujours là ... je veux dire, ici, enfin, si tu étais bien réel.

— Sûr que je suis ici. Sûr que je suis réel. Tu as des yeux, non? Eh bien, tu ferais mieux de les mettre à l'oeuvre au plus vite pour me retrouver mon capuchon! Tu l'as perdu, n'est-ce pas?

— Non, je t'assure, il est ici quelque part, protesta Amanda, en tassant, du bout de l'orteil, le livre de bandes dessinées.

— Nenni! Tu l'as perdu. C'est bien connu que les enfants font tout de travers! Bon, maintenant, formule ton voeu et qu'on en finisse.

— Je n'ai pas de voeu à formuler. Je voulais seulement voir si tu étais toujours là.

Le génie lui lança une oeillade courroucée:

— Eh bien, gamine, il va falloir que tu apprennes, et plus vite que ça! à qui tu as affaire. Sache que je ne suis pas là pour m'exhiber comme un vulgaire bibelot de porcelaine. Et que tu ne peux pas me faire sortir à tout bout de champ pour vérifier si je suis bien là. Je suis un authentique génie qui exauce des voeux, un par jour, et tu ne peux pas dévisser mon capuchon et t'attendre à ce que j'apparaisse à seule fin de me faire admirer! Tiens-toi-le pour dit! J'ai un travail à accomplir. Je dois présenter un rapport à la fin du mois et j'espère bien pouvoir y noter quelques voeux qui ont du bon sens. Ce sera donc un voeu par jour, et dodo pour moi tout le reste du temps, tu m'as bien compris?

Se sentant comme une petite fille prise en faute, Amanda se demanda ce qui lui valait pareille semonce. Elle fit cependant oui de la tête.

— Et maintenant, pas de temps à perdre: ton voeu, et que ça saute!

Amanda gardait les yeux au sol. L'impatience du génie lui coupait toute inspiration. Tout ce qu'elle souhaitait, en cet instant, c'était de le voir disparaître pour pouvoir s'asseoir (ses genoux tremblaient tellement!). Elle finit pourtant par articuler:

— Je souhaite que ton capuchon se remette en place.

Aussitôt dit, aussitôt fait! Elle déposa le tube de dentifrice dans la boîte de valentins et enclencha la porte de la penderie. Puis elle remonta dans son lit où elle ramena les couvertures sur sa tête. Jamais elle ne pourrait souhaiter un cheval ou un bébé avec un génie aussi grincheux! Il faudrait trouver autre chose. Et elle avait déjà utilisé son voeu de la journée.

Risquant un oeil en dehors de ses couvertures, Amanda s'attendait presque à voir le génie flotter dans la chambre. Au bout d'un moment, elle entrouvrit la porte de la penderie: le tube se trouvait toujours là où elle l'avait déposé. Elle respira profondément et sentit peu à peu les battements de son coeur revenir à la normale. Tant que le capuchon restait en place, rien ne se passerait.

Monsieur Atkins faisait frire des oeufs quand Amanda pénétra dans la cuisine.

— Temps rêvé pour la pêche, annonça-t-il, les yeux pétillants de malice. Mais je suppose que ça ne t'intéresse pas?

Amanda entra dans le jeu:

— Ce n'est pas l'envie qui manque mais, tu comprends, avec mon programme surchargé, mon lit, mes maths, etc...

— Je sais, je sais, des activités que tu ne peux absolument pas remettre à plus tard, répondit monsieur Atkins, tout en retournant l'oeuf de sa fille dans le poêlon, pour le lui servir juste comme elle l'aimait. Eh bien, n'en parlons plus!

Là-dessus, tous deux éclatèrent de rire. Amanda jeta les bras autour de la taille de son père et le serra très fort.

Il faisait si chaud, une fois sur l'eau, qu'Amanda se délesta de ses jeans et de son gilet, contente d'avoir pensé à mettre des shorts en dessous. Pendant que son père appâtait les hameçons, elle s'assit à la poupe et tint le gouvernail.

Tout à coup, sa ligne cala et se mit à vibrer; vivement, elle fit passer la gaule sous ses genoux, pour avoir une meilleure prise. Dans un jaillissement d'écume, un saumon argenté sauta hors de l'eau, scintillant dans le soleil.
— Papa! ç'a mordu! J'en ai un!

Monsieur Atkins rentra sa canne à pêche, pour éviter que le poisson ne s'y empêtre, puis sortit le filet. Lentement, malgré les secousses, Amanda embobina sa ligne; à chaque soubresaut du saumon, elle devait s'arrêter de rouler et tenir la gaule à deux mains; puis, elle recommençait à enrouler, s'arrêtait à nouveau pour permettre au poisson de s'ébattre et embobinait encore; cela dura si longtemps que ses muscles se mirent à protester et que ses mains endolories se couvrirent d'ampoules. Mais le saumon s'épuisait, lui aussi, sautait moins haut, se rapprochait lentement du bateau.
— Tu ne m'échapperas pas, poisson! lui cria Amanda. Laisse-toi donc faire!

Après un ultime sursaut, le saumon céda, et monsieur Atkins l'emprisonna dans son filet.
— Une vraie belle prise, Amanda. Regarde.

Mais elle détourna le regard, incapable de voir son père frapper le saumon à la tête pour l'empêcher de souffrir et lui extirper l'hameçon de la gueule et des ouïes. Amanda ne pouvait souffrir la vue du corps inerte du valeureux combattant argenté qui lui avait livré une lutte aussi courageuse, devenu simple amas d'écailles. Elle avait mal au dos, et ses mains s'agrippaient toujours à sa canne à pêche; mais elle sourit quand son père la félicita:

— Tu as fait du très bon travail.

Puis ce fut son tour à lui d'en prendre un, aussi gros que celui d'Amanda. Un peu plus tard, Amanda en pêcha un troisième, beaucoup plus petit, que son père remit à l'eau, avec délicatesse.

— Nous te reprendrons l'an prochain, lui murmura-t-elle au moment où les flots l'envahissaient. Amuse-toi bien, d'ici là.

Déjà une odeur de vieille cuiller chauffée s'exhalait du fond du bateau où gisaient les deux saumons. C'est à ce moment-là que la fillette se rappela que, malgré son amour de la pêche et sa prédilection pour les aquariums, elle détestait le goût du poisson. Elle en détestait aussi le contact mais cela ne représentait aucun problème, puisque c'était toujours son père qui les portait. Mais les manger! Rien que d'y penser lui donnait la nausée!

De retour à la maison, monsieur Atkins alla nettoyer les saumons dans le jardin. Madame Atkins, toute barbouillée de peinture, sortit admirer les prises:

— Magnifiques poissons, apprécia-t-elle; nous en apprêterons un pour souper.

Ce soir-là donc, à la table du souper, un saumon étêté, équeuté, farci, cuit et garni de brins de persil se pavanait sur le plat de service. Lasse et souffrant d'un coup de soleil, Amanda se sentait un appétit vorace.

"Et si je ne détestais plus le poisson autant qu'avant? se dit-elle en prenant sa fourchette. Après tout, je n'en ai pas mangé depuis un bon bout de temps."

Elle avala la première bouchée de chair rouge et juteuse sans haut-le-coeur, mais la seconde lui colla au palais. Plus elle mastiquait, plus le poisson semblait grossir dans sa bouche.

— Rien n'égale la saveur du saumon frais, remarquait son père au même moment, surtout quand on l'a soi-même attrapé!

N'en pouvant plus, Amanda recracha la bouchée dans sa main, la camoufla derrière ses carottes et se contenta, pour tout repas, de purée de pommes de terre. Mais quand elle gagna sa chambre, ce soir-là, elle savait très exactement quel voeu formuler le lendemain.

Avant d'éteindre, elle entrouvrit la porte de sa penderie: oui, le tube de dentifrice s'y trouvait toujours; il n'avait pas bougé depuis le matin.

— Croyez-vous à la magie? demanda-t-elle à ses parents, venus lui souhaiter bonne nuit.

— Quelle question bizarre! commenta son père. Qu'est-ce qui peut bien te faire penser à ça?

— La seule magie à laquelle je crois, répondit sa mère, c'est la magie de l'Art.

— Qu'est-ce que c'est? voulut savoir Amanda.

— C'est la vérité invisible que nous cache la réalité. Ou, si tu veux, c'est ce qui existe mais ne se voit pas derrière ce qu'on voit.

Amanda surprit le froncement de sourcils de son père:

— Tu es en train de l'embrouiller, dit-il à sa femme. Elle veut tout simplement savoir si nous croyons aux marraines-fées ou aux poissons qui parlent; n'est-ce pas, Amanda? Eh bien non, la magie n'existe pas dans la vraie vie.

Ils l'embrassèrent et Amanda se recroquevilla dans ses couvertures.

— Pourriez-vous laisser la lumière du couloir allumée, cette nuit, s'il vous plaît? leur demanda-t-elle au moment où ils quittaient la chambre.

CHAPITRE 3

UNE HISTOIRE DE POISSON QUI NE TOURNE PAS ROND

Lorsque Amanda dévissa le capuchon orangé pour la troisième fois, le lendemain, le geste lui parut familier. Moins craintive que la veille, elle espérait, toutefois, que le génie serait de meilleure humeur.

"C'est un génie après tout, pensait-elle, et son travail consiste à exaucer mes voeux."

Elle avait donc la situation bien en mains, du moins l'espérait-elle.

— Ce matin, signifia-t-elle au génie lorsque la bulle eut fini de se gonfler, je souhaite avoir une provision intarissable de bonbons.

Le génie se berçait doucement dans sa bulle mauve, pipe à la bouche.

— Nous y voilà! commenta-t-il. Je me demandais combien de temps il te faudrait pour y arriver! Tous les génies savent que, lorsqu'ils ont pour maîtres des enfants, il leur faut en tout premier lieu jouer au fabricant de bonbons. On peut dire que tu y a mis le temps, toi, en tout cas; ta lenteur paraîtra bien dans mon rapport. Mais il n'en est pas question, poursuivit-il après un court silence. Nous ne pouvons rien accorder d'"intarissable". Tout voeu doit être concret et bien circonscrit.

Il semblait citer un livre, et Amanda ne comprenait rien à ce qu'il disait.

— Qu'est-ce que tu veux dire?

— Écoute-moi bien, tête de linotte . . .

— Je ne suis pas une tête de linotte!

— Oh! toutes mes excuses! Ce que je veux dire, c'est que tu ne peux pas souhaiter quelque chose qui se renouvelle chaque jour. Tu fais un voeu précis pour une quantité précise, et quand celle-ci s'épuise, tu formules le même voeu; mais un voeu ne se répète pas automatiquement.

— Mais je pensais qu'un voeu pouvait durer éternellement.

Le génie se pinça les lèvres:

— *Certains* voeux seulement, répondit-il d'une voix exaspérée. Pas tous.

— Eh bien, je souhaite avoir une très grosse boîte de chocolats, mais sans saveur au café; et il faut que les centres soient mous. Ou plutôt, attends, je veux qu'ils soient tous ou bien chocolatés, ou bien à l'érable et aux noix.

— Accordé! dit le génie dans un large sourire qui arrondit encore ses joues pourtant déjà rondelettes. Et tous mes remerciements. Voilà enfin quelque chose à inclure dans mon rapport!

La bulle évanouie, Amanda commença de visser le capuchon en place, se ravisa, le retira et cria "merci" dans le tube. Puis elle rangea celui-ci sous les valentins. Son voeu se trouvait sur son lit quand elle se retourna. Jamais elle n'avait vu boîte de chocolats aussi grosse ou aussi mauve! Des étages innombrables de chocolats noirs, énormes! Elle les contempla quelques instants avant d'oser en défaire le bel agencement. Le premier qu'elle prit avait un centre chocolaté fait d'une crème épaisse, veloutée, onctueuse. Le second aussi. En fait, elle dut en déguster quatre avant de trouver un centre à l'érable et aux noix. Elle cacha ensuite la boîte sous son jeu de construction et alla boire trois verres d'eau dans la salle de bains.

— J'ai fait du porridge, lui annonça madame Atkins quand elle entra dans la cuisine. J'en ai en quantité. Je sais que tu dois avoir faim, avec ton maigre souper d'hier soir.

Et elle lui en servit un plein bol. Amanda se glissa à sa place, la conscience pas tout à fait tranquille. Elle qui, d'ordinaire, raffolait du gruau au déjeuner, avait l'appétit coupé juste à en respirer la senteur familière. Malgré les trois verres d'eau qu'elle avait bus, elle avait encore la bouche toute sirupeuse. Elle versa quand même quelques gouttes de lait sur l'épaisse bouillie de porridge, qui devint comme une île quand le liquide blanc se fut déposé tout autour.

Avec sa cuiller, elle tailla un cratère sur le sommet de l'île, puis creusa une tranchée pour le relier au bord du bol et regarda celle-ci se remplir de lait.

Remarquant le froncement de sourcils de sa mère à la vue de son bol non entamé, Amanda s'enfonça vite une cuillerée de gruau dans la bouche. Elle la retourna en tous sens avec sa langue et dut boire quelques gorgées de lait pour venir à bout de l'avaler.

— C'est tout ce que tu peux manger? s'étonna madame Atkins.

— Il faut croire que je suis un train de perdre l'appétit! répliqua Amanda, qui réussit à se faire passer une autre bouchée dans le gosier avant de repousser son bol.

— Tu ne te sens pas bien?

— Je suis très bien, mais il faut que je m'en aille à l'école. Alors, au revoir.

Ce soir-là, le souper consistait en une salade préparée à même les restes du saumon de la veille. Amanda tria soigneusement toutes les parcelles de poisson et les laissa sur le bord de son assiette.

— Je ne te comprends pas, remarqua son père, le saumon est un plat de fin gourmet!

Amanda finit de manger le premier étage de chocolats avant de se mettre au lit.

Le lendemain matin, le deuxième saumon trônait sur le comptoir de cuisine lorsqu'elle vint déjeuner.

— Je vais le peindre, annonça madame Atkins.

— C'est ça, peins-le en vert, et après, tu pourras le jeter! grommela Amanda tout en se préparant des rôties.

Amanda ne pensa plus au poisson de toute la journée, mais en rentrant de l'école un peu après trois heures, elle le vit qui occupait encore le comptoir, son oeil vitreux fixé vers le plafond. La fillette s'empressa d'aller confier son problème au génie:

— C'en est tout simplement trop, éclata-t-elle une fois la bulle gonflée. Il faut que tu me débarrasses de ce poisson. Je suis tout simplement incapable de le manger, et je vais mourir d'inanition. Mais il ne faut pas le faire disparaître tout d'un coup; ça aurait l'air louche.

— Je ne peux pas.

— Comment ça, tu ne peux pas?

— Tu n'as pas dit: je souhaite.

— Eh bien, *je souhaite* que tu fasses disparaître le poisson petit à petit.

— C'est bon, Amanda, je vais m'en occuper, promit-il dans une bouffée de fumée.

Elle remit le tube de dentifrice à sa place, dégusta un chocolat à l'érable et aux noix, puis revint à la cuisine. Le saumon n'avait plus de queue. Soudain, un autre morceau de poisson disparut sous ses yeux.

"Il m'a prise au mot, songea-t-elle avec horreur. Je lui ai dit: petit à petit! Mais je voulais parler du temps, pas du poisson!"

Se précipitant dans sa chambre, elle empoigna le tube et essaya de dévisser le capuchon. Mais comme celui-ci lui résistait, elle recourut à ses dents, sans plus de succès, d'ailleurs.

— Allons, génie, sors de là! Ce n'est pas comme ça que je voulais que tu agisses.

Le tube se mit à lui trembler dans la main: il se dandinait doucement d'un côté et de l'autre. Elle entendit un petit bruit étouffé:

— Hi! Hi! Hi!

C'était le génie qui riait!

— Génie de malheur! lui lança-t-elle en projetant le tube contre le mur.

Puis elle se prit à redouter la réaction de sa mère:

"Qu'est-ce qui va se passer si elle entre dans la cuisine et qu'elle voit le poisson disparaître?"

Sa première impulsion fut de se cacher sous le lit, comme elle le faisait, petite, mais elle courut vers la cuisine.

Il ne restait qu'un demi-saumon sur le comptoir; et bientôt, il n'y eut plus qu'une tête, puis deux yeux, qui avant de s'effacer à leur tour, semblèrent lui lancer une oeillade complice. La fillette tâta le comptoir pour vérifier si le poisson avait bel et bien disparu ou s'il était tout simplement devenu invisible.

Juste à ce moment, madame Atkins entra dans la cuisine, sourire au lèvres, sourire qui fit bientôt place à l'ahurissement:

— Bizarre! laissa-t-elle tomber, en fouillant la pièce des yeux. Très bizarre. Je l'avais déposé là!

Elle tâta, à son tour, le comptoir, tandis qu'Amanda se tenait à l'écart, les mains derrière le dos.

— Très bizarre, répétait sa mère; je suis pourtant certaine de l'avoir laissé ici!

Amanda sourit nerveusement, et madame Atkins sortit précipitamment. La fillette l'entendit gravir les marches de son studio.

"Pourvu qu'il l'ait transporté là-haut!" priait-elle.

Elle aurait voulu que le poisson revienne, peu importe où, dans la maison, ou qu'il réapparaisse sur le comptoir, même si cela signifiait un autre repas de jeûne pour elle! En fait, autant elle avait voulu s'en débarrasser dix minutes auparavant, autant elle voulait le revoir à sa place, maintenant!

— Bon, Amanda, tu vas me dire où est le poisson, clama madame Atkins en revenant à la cuisine.

La fillette haussa les épaules en signe d'ignorance, tandis que sa mère lui inspectait les mains, qu'elle tenait toujours derrière son dos.

— Je l'avais mis là, dit madame Atkins en pointant le comptoir. Tu ne l'as pas vu?

— Vu quoi, maman?

— Mais le poisson, Amanda, le poisson!

Amanda se trouvait fort embarrassée: si elle avouait qu'elle avait vu le saumon disparaître, elle serait obligée de révéler à sa mère l'existence du génie, ce qui lui enlèverait tout espoir de jamais posséder un cheval ou une petite soeur. Mais si elle ne disait rien, sa mère la croirait folle. D'autre part, malgré son horreur de faire de la peine à sa mère, elle ne pouvait se résigner à renoncer au génie.

— Je ne l'ai pas vu quand il a disparu, dit-elle en fin de compte.

— Tu es bien sûre qu'il a disparu?

"Est-elle soulagée ou encore plus inquiète?" se demandait Amanda.

— C'était peut-être de la magie? suggéra-t-elle. De toute façon, il n'est plus là, ce poisson; cessons donc d'y penser.

— Cessons d'y penser!... s'emporta madame Atkins, en tâtant de nouveau le comptoir. Ou bien nous perdons la boule, ou bien nous venons d'assister à l'événement du siècle! Et tu voudrais que nous cessions d'y penser!

Reculant vers la porte dans l'espoir de s'esquiver en douce, Amanda reprit:

— Regarde, la fenêtre est ouverte. Qui sait si un chat n'est pas entré par là pour le manger?

Madame Atkins garda les yeux fixés sur sa fille pendant un long moment, comme si tous les rouages de sa pensée fonctionnaient à plein régime en même temps.

— Amanda, appela-t-elle doucement, d'un ton que la fillette connaissait bien, dis-moi ce qui est arrivé au poisson.

— Peut-être qu'au moment de le peindre sur ta toile, tu lui as enlevé toute son essence...

— Amanda?

— Je te jure, maman, que je n'y ai pas touché. Je déteste le poisson mais je n'y ai pas touché. Et je n'ai pas la moindre idée de l'endroit où il peut être.

— Tu me déçois énormément, Amanda, soupira madame Atkins. Jusqu'ici, tu as toujours été franche avec moi.

Et sans un mot de plus, elle quitta la pièce.

"Je ne lui ai pourtant rien dit de faux, pensait Amanda en ravalant ses larmes; je n'ai pas touché au poisson moi-même et je ne sais vraiment pas où il est allé. Non, je ne lui ai pas menti."

Mais dans ce cas-ci, la vérité était bien proche du mensonge! Comme ça devenait compliqué de vivre avec un génie qui exauçait un voeu par jour!

"Je me serais pourtant imaginé qu'il me simplifierait l'existence, songeait-elle. Mais non! Il fait les choses tout de travers! À croire que ça l'amuse de me voir mettre les pieds dans les plats! Mais je lui revaudrai ça, d'une façon ou d'une autre. Il ne perd rien pour attendre!"

CHAPITRE 4

UN VOEU ASTUCIEUX

Cela faisait plus d'une semaine qu'Amanda avait son génie mais elle ne s'était pas encore décidée à demander un cheval ou une petite soeur. Au début, elle avait utilisé ses voeux à seule fin de savoir si le génie pouvait réellement les exaucer, mais comment lui faire confiance après la disparition du poisson? C'est au réveil, avant même de mettre ses lunettes, qu'Amanda réfléchissait le mieux, un peu comme si elle pouvait voir plus clairement à l'intérieur de sa tête quand tout était flou autour d'elle. Ce matin-là, donc, il lui vint une idée fantastique: elle venait de trouver le moyen d'obtenir tout à la fois.

Elle sauta à bas du lit mais, se rappelant soudain qu'on était lundi matin, se remit sous les couvertures: elle n'avait pas envie d'aller à l'école.

Non qu'elle détestât l'école qui, en fait, lui avait toujours plu (plus ou moins, évidemment, et en ce moment moins que plus), mais ces temps-ci, les choses semblaient aller de mal en pis avec madame Hayward. Pas parce qu'Amanda ne travaillait pas assez; non, elle réussissait bien en classe, surtout en lecture et en mathématique, et elle excellait en langue orale; même que, d'après madame Hayward, Amanda était celle qui parlait le mieux de toute la classe.

C'est en écriture que ça se gâtait: Amanda avait une écriture lamentable! Tout le contraire de Cynthia qui, elle, écrivait merveilleusement bien. Peu importe la surface, d'ailleurs, qu'il s'agisse de feuilles lignées ou non, ou du tableau noir, l'écriture de Cynthia demeurait impeccable. De plus, Cynthia était très forte en dessin: elle pouvait esquisser toutes sortes de portraits, et même des singes qui faisaient rigoler les élèves. Mais, pour Amanda, il lui suffisait d'avoir un crayon ou une plume à la main pour que tout dégénère en barbouillages. Ses copies étaient donc toujours souillées, même quand elle les soignait de son mieux, ou plutôt, *surtout* quand elle y mettait la meilleure volonté du monde. C'était décourageant à la fin! D'autant plus qu'on s'attendrait à un peu plus de propreté de la fille d'une artiste, comme se plaisait à le répéter madame Hayward.

Amanda avait failli fondre en larmes devant toute la classe, le vendredi précédent, quand madame Hayward avait refusé sa rédaction sur les baleines.

— Jamais je n'accepterai un travail aussi malpropre, Amanda. Tu vas devoir le recopier.

Mais ce qu'Amanda avait trouvé de pire dans cette situation pourtant déjà cuisante, c'est le triomphe méprisant qu'elle avait perçu sur le visage de Cynthia.

C'est pourquoi donc, ce lundi-là, Amanda n'arrivait pas à se décider à se lever. Tout de suite après le cours de mathématiques, il lui faudrait recopier sa rédaction; et déjà, le premier paragraphe (qu'elle avait eu le temps de refaire vendredi) était taché à trois endroits, avec un beau trou au milieu, là où elle avait effacé.

"Si seulement je pouvais écrire proprement!" soupirait-elle.

— Tiens! Mais ce sera mon voeu pour aujourd'hui! déclara-t-elle, oubliant la première idée qu'elle avait eue en s'éveillant.

Mettant ses lunettes pour éviter de trébucher sur le fouillis du plancher, elle alla chercher le tube de dentifrice et le décapuchonna. La bulle se mit à gonfler, mais avec une lenteur désespérante. Amanda grillait d'impatience; elle pouvait à peine distinguer le génie à l'intérieur, qui gardait les paupières bien fermées. Il se frotta enfin les yeux, cligna deux ou trois fois et bâilla.

— Il est à peu près temps que tu te souviennes de mon existence! Je commençais à me demander si je n'allais pas hiverner! Tu es censée m'utiliser tous les jours! Ça prend une gamine pour m'oublier comme ça! Mais d'autre part, qu'est-ce qui te prend de me réveiller d'aussi bonne heure? J'ai besoin de mon sommeil, tu sais!

Toute confuse, Amanda fut sur le point de s'excuser, mais se ravisa aussitôt: de quoi, en effet, avait-elle à s'excuser?

— Peux-tu me faire écrire et dessiner aussi proprement que Cynthia? demanda-t-elle.

Puis, prise d'une inspiration subite, elle ajouta:

— Rends-moi donc propre à tous points de vue. Que mes blouses ne sortent plus de mes pantalons ou de mes jupes, que mes chaussettes ne ravalent plus, que mes cheveux demeurent coiffés, faciles à peigner; et quant à ma chambre, dit-elle en regardant les traîneries (jouets, biscuits à moitié mangés, vêtements jetés pêle-mêle sur le plancher, couvertures toutes de travers), peux-tu t'en occuper également?

— Non. C'est beaucoup trop. Je te l'ai dit: un voeu à la fois. Par ordre du syndicat.

Tout à coup, Amanda entendit des pas dans le couloir. Lançant le génie dans la penderie, elle ferma la porte et s'y appuya. Sa mère entrouvrit la porte de la chambre.

— Comment? Pas encore habillée? Il passe huit heures! Et veux-tu me dire après qui tu criais comme ça?

— Après personne, répondit Amanda, les doigts croisés derrière le dos.

"Le génie n'est pas une vraie personne", raisonnait-elle.

— Je . . . pratiquais, seulement.

— Bon, eh bien, tu n'as pas de temps à perdre, répondit madame Atkins, d'un air sceptique. Et, en passant, je veux que tu fasses le ménage de ta chambre, aujourd'hui même. C'est pire qu'une porcherie!

— Oui, maman. Je m'en occupe tout de suite, répliqua Amanda, qui dut appuyer plus fort contre la porte de la penderie qui vibrait.

— Mais non, pas maintenant, Amanda, tu te mettrais en retard. Tu feras ça après la classe . . . Et veux-tu bien me dire pourquoi tu fais tant de bruit avec la porte de ta garde-robe? ajouta-t-elle en faisant quelques pas dans la pièce.

Au même moment, un grand branle-bas se fit entendre dans la penderie, comme si tout le contenu en avait été bouleversé. La pression qui s'exerçait sur la porte devenait insupportable. Et comme sa mère s'avançait dans sa direction, Amanda cria:

— La cuisinière, maman! J'entends la minuterie!

— Zut, les oeufs! Vite, habille-toi, sinon tu vas les manger froids.

Madame Atkins sortit, refermant la porte derrière elle, pendant qu'Amanda ouvrait celle de la penderie. Une bulle

44

mauve écumante aux proportions gigantesques apparut. Jouets, boîtes de jeux, livres, en un mot, tout ce qui avait auparavant occupé les tablettes de la penderie se retrouvait par terre, sens dessus dessous. Le bas du tube de dentifrice était même ébréché.

— Merci beaucoup, dit le génie d'un ton glacial. Comment aimerais-tu, toi, être jeté sans cérémonie dans une penderie tout à l'envers alors que tu essaies simplement de faire ton travail?

— Je suis franchement désolée, mais je ne voulais pas que ma mère te trouve.

— Peut-être saurait-elle mieux que toi comment traiter un génie.

— Oh! non, je t'assure! Elle voudrait te peindre. Tu serais obligé de poser pour elle. Elle voudrait capter ta vérité.

— Ma quoi?

— Ta vérité. Ton essence.

— Mon essence?

— Oui. C'est ce qu'elle fait. C'est une artiste.

Le génie roula des yeux craintifs:

— Dans ce cas, j'ai l'impression qu'elle est encore plus dangereuse que toi.

— Mais non, elle n'est pas dangereuse, elle est vraiment très gentille. Mais c'est très ennuyeux de poser pour elle. Il faudrait que tu restes assis sans bouger . . . et elle ne te laisserait pas dormir.

— Elle ne me laisserait pas dormir! Eh bien, ça, alors!

— Bon, revenons donc à mon voeu, conclut Amanda, qui sentait qu'elle reprenait la situation en mains.

"Je me rends compte qu'il faut user de fermeté avec les génies", se disait-elle.

— D'accord. Formule ton voeu, mais fais ça vite!

Il gardait les yeux fixés sur la porte de la chambre, comme s'il craignait d'y voir réapparaître madame Atkins.

Les méninges d'Amanda fonctionnaient à plein régime:

— Je souhaite, commença-t-elle, que tu me rendes propre sous tous les rapports, y compris dans ce que je fais. C'est bien là un seul voeu, n'est-ce pas? ajouta-t-elle avec un sourire persuasif.

Pipe à la main, le génie se frottait le nez:

— Espèce de ratoureuse! grogna-t-il. C'est tout à fait irrégulier, mais on va dire que c'est bon, pour cette fois. Ne recommence pas trop souvent, cependant. Je dois soumettre un rapport très important, à la fin du mois, tu sais.

Il disparut avec une étonnante célérité et Amanda replaça le capuchon orangé. Soudain, tout se mit à voler dans une bousculade époustouflante. Les morceaux de puzzle éparpillés un peu partout se triaient d'eux-mêmes pour tomber dans les bonnes boîtes qui, à leur tour, s'envolaient vers les tablettes. Amanda vit son lit se faire tout seul, ses poupées filer vers le mur où elles s'alignèrent, les vêtements souillés sauter dans le panier à linge sale, les propres dans les tiroirs. À travers ce remue-ménage, sa robe de nuit la quitta pour réintégrer le dessous de son oreiller, tandis que ses vêtements d'écolière venaient l'habiller. Amanda dut s'agripper à la poignée de porte de peur de se faire ranger à son tour.

Petit à petit, le calme revint dans la chambre. Jamais Amanda ne l'avait vue aussi propre et bien rangée. Jamais elle n'avait su qu'il restait tant d'espace par terre. Elle n'eut qu'à vider le panier à papier.

— Tu as fait ça vite! dit sa mère quand la fillette vint déjeuner. Et quelle allure! Comment as-tu réussi cette jolie coiffure?

— Je n'en sais rien, avoua Amanda, sincèrement.

S'asseyant à table, elle porta machinalement la main vers ses lunettes, qui lui tombaient toujours sur le nez quand elle se penchait. Mais cette fois, elles restèrent bien en place tout comme ses cheveux, qui n'effleurèrent même pas son assiette. Elle réussit à tartiner sa rôtie sans répandre de la confiture sur la nappe et sans échapper son couteau. Elle parvint même à remettre le couvercle sans

gommer tout le pot.

Amanda se sentait impeccable, si impeccable, en fait, qu'elle se demandait si elle n'avait pas été montée de toutes pièces. Ses chaussettes tenaient fermement autour de ses genoux et la sensation confortable de ses pieds lui faisait comprendre que ses souliers étaient parfaitement lacés.

"Ne suis-je pas un petit peu trop propre?" s'inquiéta-t-elle.

Malgré le vent qui soufflait dehors, malgré sa course folle à bicyclette, pas un seul de ses cheveux ne bougea sur le chemin de l'école.

Mais là où se manifesta le voeu avec le plus de force, ce fut au cours de mathématiques.

Elle ouvrit donc son cahier, tourna la page, prit une grande respiration et s'empressa d'écrire son nom et la date sur la ligne du haut.

Amanda Elizabeth Atkins   Lundi le 11 mai

C'était magnifique! De hauteur uniforme, les lettres penchaient toutes du même côté; les majuscules s'ornaient de délicates fioritures qu'elle avait faites sans s'en rendre compte. C'était certainement aussi joli que l'écriture de Cynthia! Davantage, même!

"Il faut croire que le génie possède bel et bien des pouvoirs magiques, reconnut Amanda, et qu'il me sera vraiment possible d'avoir un cheval et une petite soeur. C'est une question de formulation."

Fredonnant un petit air tranquillle, Amanda termina la page de multiplications, qu'elle alla ensuite déposer sur le pupitre du professeur, non sans remarquer que Cynthia travaillait toujours. Elle revint à sa place et sortit son livre de bibliothèque, qu'elle se mit à lire tout en portant machinalement la main à ses cheveux; elle avait, en effet, l'habitude de jouer avec ses mèches en lisant. Mais cette fois,

49

rien à faire: aucune mèche ne se laissa tripoter. Dès qu'elle en séparait une du reste de sa chevelure pour l'enrouler autour de ses doigts, la mèche se déroulait et reprenait sa place. Elle essaya de tresser trois mèches ensemble, mais rien à faire: dès qu'elle réussissait à enrouler deux mèches, la troisième se remettait en place et, pendant qu'elle tentait de la rattraper, les deux autres se séparaient pour aller reprendre leur "propre" place dans sa chevelure impeccable, le long de son dos.

"Pas de danger qu'elle se défasse, en tout cas!" se dit-elle.

— Amanda, appella madame Hayward, le cahier de la fillette à la main. Cette feuille porte ton nom, mais ce travail ne te ressemble pas. Il fait plutôt penser au travail de Cynthia. Comment as-tu fait?

— Je n'en sais rien, répondit Amanda, pour la deuxième fois de la journée.

C'était vrai, elle n'en savait *vraiment* rien.

— Il faut croire que je deviens plus propre, sourit-elle.

Mais, loin de lui rendre son sourire, madame Hayward fronça les sourcils d'un air sévère.

Amanda se pinça les lèvres:

— C'est bien mon cahier, affirma-t-elle.

— Je le sais bien que c'est ton cahier, répliqua le professeur, retournant quelques pages en arrière. Mais, ajouta-t-elle en revenant à la page d'aujourd'hui, ceci ne ressemble en rien à ton travail habituel.

— Eh bien, ça l'est tout de même, rétorqua Amanda.

— Tiens, montre-moi comment tu as fait, lui ordonna le professeur en lui tendant un crayon.

Amanda recopia la dernière question, puis inscrivit son nom au bas de la page; les fioritures des majuscules se firent encore plus élégantes.

— C'est fantastique! commenta madame Hayward. Comment as-tu fait? Tu as dû passer la fin de semaine à t'exercer.

— Mais non ; seulement, j'avais vraiment envie de devenir plus propre.

— Eh bien ! Voilà qui est parfait !

Mais, au ton de madame Hayward, Amanda sentait qu'elle était loin de penser que c'était si parfait que cela !

Amanda n'avait pas sitôt franchi le seuil de la maison, à midi, qu'elle entendit la sonnerie du téléphone, puis sa mère qui disait :

— Trop propre ? . . . Si vite que ça ? . . . Difficile à croire, je le reconnais . . . Mais les gens changent, elle y travaillait sans doute à notre insu . . . Trop subit ? . . . Vous savez, elle a toujours eu une propreté intérieure, si vous saisissez ce que je veux dire . . . Non ? Vous ne comprenez pas de quoi je parle ? Eh bien, dans son *essence* même . . . Bon, parfait. Oui, demeurons en contact, mais ne vous inquiétez pas. L'évolution se fait parfois très vite . . . Oui, c'est merveilleux . . .

Amanda sortit furtivement et rentra de nouveau en claquant la porte, pour que sa mère ne devine pas qu'elle avait tout entendu.

— Bonjour, ma chérie, l'accueillit sa mère. Je te remercie du ménage que tu as fait dans ta chambre. Et en si peu de temps !

Puis, l'entourant de ses bras, elle lui dit d'une voix étouffée :

— Ne grandis pas trop vite, cependant. Nous t'aimons bien telle que tu es. Tu n'as pas besoin de changer, tu sais.

Amanda soupira ; alors que, depuis des années, on lui reprochait son manque d'ordre et sa négligence, voilà que le jour où elle devenait enfin propre et ordonnée, on se mettait à penser qu'elle y allait un peu fort. Allez donc comprendre les adultes, après ça !

CHAPITRE 5

UN VOEU LÉGENDAIRE

Le lendemain matin, après avoir fait gonfler la bulle, Amanda interpella son génie:

— Génie, je souhaite obtenir dix voeux par jour!

Se pinçant les lèvres, le génie eut une telle grimace que ses sourcils verts formèrent une ligne continue sous son front, une sorte de bordure de gazon.

Il fit non de la tête:

— Pas question. Un voeu par jour. C'est le règlement.

— Mais c'est seulement *un* voeu, réfuta Amanda; c'est mon unique voeu pour aujourd'hui.

— Non. Tu ne peux pas faire de voeux de ce genre-là.

Amanda avait prévu la difficulté. Tenant le tube fermement dans les mains, elle se redressa de toute sa grandeur et regarda le génie droit dans les yeux:

— Mettons les choses au point, veux-tu? Le génie, ici, c'est toi, et la personne, c'est moi; c'est donc toi qui dois agir selon ma volonté. C'est moi qui commande.

Serrant le tuyau de sa pipe contre ses dents, le génie soupira et détourna les yeux:

— Je savais bien que ça finirait par arriver, avec une gamine! marmonna-t-il. Tu n'es rien qu'une sans-coeur, une petite cervelle . . .

Amanda n'était pas intimidée pour autant.

— Qu'est-ce qui cloche, dans mon voeu? C'est bien *un seul* voeu. J'observe le règlement. Et c'est *moi* qui suis la patronne ici!

Amanda prononça ces derniers mots avec un plaisir évident.

— Et puis, ajouta-t-elle, ça paraîtrait bien dans ton rapport.

— Ce qui cloche? explosa le génie, dont la bulle gonflait et commençait à écumer. Tu veux savoir ce qui cloche dans ton voeu? C'est qu'il va m'exténuer, ton voeu, voilà! D'où crois-tu qu'ils viennent, les voeux, hein? Tu penses peut-être qu'ils attendent que je fasse claquer mes doigts pour se manifester, comme si de rien n'était? Eh bien, détrompe-toi! La magie exige des efforts considérables! C'est pour cela que je me fatigue. C'est pour cela aussi que les génies ont formé un syndicat.

— Je ne savais pas, répondit Amanda. Et ça ne te donne rien de te fâcher.

Ils restèrent les yeux dans les yeux pendant un petit moment, puis, lentement, le génie se calma:

— Dix voeux par jour, reprit-il plus doucement, et chaque jour; cela représente un travail dix fois plus harassant, parce que c'est moi-même, tu sais, qui m'occupe de les exaucer un par un; techniquement, ça me ferait onze demandes par jour à remplir. C'est au-dessus de mes forces! Je serais si éreinté après ça que ça ne vaudrait même plus la peine d'obtenir mon diplôme! C'est pour cela que le syndicat rejette de tels voeux.

— Si je souhaitais avoir dix voeux faciles à accorder, alors?

— Non, il n'en est pas question. Le syndicat n'aimerait pas ça, et le Grand génie non plus. Je vois ça d'ici, dans mon rapport! Donc, c'est réglé: un voeu par jour, pas plus. C'est déjà assez embêtant comme ça! Alors, qu'est-ce que ce sera?

— Je ne savais rien de tout cela, avoua Amanda. C'est la première fois que j'ai un génie et je ne m'y connais pas du tout en matière de magie. C'est si dur que ça?

— C'est du travail très fatigant, tout comme cette conversation. Allons, qu'est-ce que tu souhaites?

— Il y a deux choses que je désire . . .

— Parfait, une pour aujourd'hui, l'autre pour demain, conclut le génie en fermant les yeux.

— . . . mais il me faut constamment utiliser mes voeux à d'autres fins. Comme en ce moment, par exemple, j'ai une rédaction à faire sur les légendes amérindiennes; je n'ai donc pas le choix, il me faut souhaiter qu'elle se fasse.

Madame Hayward avait bien précisé que tous les travaux devaient être remis le lendemain au plus tard. Et Amanda n'avait encore écrit qu'un seul paragraphe. Cynthia, bien sûr, avait rendu sa rédaction la semaine précédente. Amanda ne pouvait donc pas s'en sortir autrement que par un voeu. Mais le génie s'était endormi.

— Génie! s'indigna Amanda.

Elle secoua si bien le tube que le génie s'éveilla en sursaut.

— Je veux que tu fasses ma rédaction à ma place.

— Que je fasse ta rédaction à *ta* place? Moi qui ai déjà assez de misère avec mon propre rapport? De toute façon, je ne peux pas. C'est contraire au règlement. Nous n'avons pas le droit de faire pour les autres ce que normalement ils peuvent faire par eux-mêmes.

— Toi et ton règlement! Il change à tout instant, ton règlement! Je me disais aussi que tu refuserais! Tu ne fais jamais rien d'utile.

— Qu'est-ce que tu veux dire par ça? rétorqua le génie, piqué. J'en fais, des choses utiles. Mais, reprit-il brusquement, je ne sais pas écrire.

— Allons donc! Tout le monde sait écrire!

— Oui, mais je ne suis pas du monde! Nous, génies, n'avons pas besoin de l'écriture.

— Pas besoin, dis-tu? Alors comment feras-tu pour rédiger ton rapport?

— Il y a plus d'une façon de communiquer. Nous utilisons le transfert d'idées.

— Qu'est-ce que tu veux dire?

— Je n'ai pas vraiment le droit de te l'expliquer, mais quand nous nous réunissons, entre génies, nous pouvons lire dans la pensée les uns des autres, de sorte que nos rencontres se passent toujours dans le calme et le silence. Nous ne crions jamais et nous n'avons jamais mal aux yeux à force de déchiffrer des documents écrits en petits caractères.

— Peut-être pourrais-tu transférer dans la tête de madame Hayward l'idée que j'ai fait ma rédaction et que j'ai eu 90 pour cent.

— Comment veux-tu que ça marche? Elle n'est pas génie! Et, de toute façon, nous nous en tenons à la réalité: nous ne pouvons changer ce qui ne s'est pas encore produit. Si tu l'avais faite, cette rédaction, je pourrais la transmettre à un personnage qui a vécu il y a un million d'années. Je pourrais aussi la faire disparaître. Je pourrais même la réécrire à l'envers. Mais comme tu ne l'as pas faite, elle n'existe pas et je ne puis rien faire.

Le génie commença à se recroqueviller sur lui-même, comme s'il allait réintégrer son tube.

— Attends, ne t'en va pas, s'il te plaît. Elle va me tuer si je ne fais pas ma rédaction.

— Cela m'étonnerait beaucoup! fit le génie. Les professeurs ne *tuent* pas leurs élèves. Je t'en prie, exprime ta pensée correctement.

— Tu sais très bien ce que je veux dire, plaida Amanda, dont les yeux commençaient à s'embuer.

— Écoute, je sais que tu es capable. Ta maman ou ton papa peuvent t'aider. D'ailleurs, tout ceci est très irrégulier: je suis ici pour exaucer tes voeux, pas pour te servir de conseiller! Un voeu par jour, et dodo le reste du temps. Par ordre du syndicat.

— Syndicat de malheur! marmotta Amanda, les joues ruisselantes de larmes.

— Je t'en prie, cesse de pleurer! Tu vas tout me mouiller. On voit bien que tu ne sais pas comment te servir convenablement des pouvoirs d'un génie, même après tout ce temps! Plus personne ne le sait, d'ailleurs, de nos jours . . . mais enfin, passons! Écoute, je ne peux pas écrire ta rédaction à ta place, ni convaincre madame je-sais-pas-qui que tu l'as faite si tu ne l'as pas faite. En tant qu'apprenti génie, je n'ai que des pouvoirs limités, tu sais. Mais si tu veux connaître des événements qui se sont réellement passés, je peux te transporter là où ils se sont produits, pour que tu les voies de tes propres yeux.

— Veux-tu dire que je pourrais y aller? Mais comment? Et comment est-ce que je reviendrais?

— Ça, c'est mon affaire.

— Mais mes parents s'apercevront de mon absence. Je ne veux pas qu'ils s'inquiètent.

— Amanda, tu vas me faire perdre patience; de plus, je suis très fatigué.

La bulle se couvrait encore une fois d'écume, tandis que le génie tirait sur sa pipe. Cela dura une bonne minute. Puis, il reprit:

— Tu sais combien le temps passe lentement quand tu fais quelque chose d'ennuyeux?

— C'est évident!

— Et qu'il passe trop vite quand tu as du plaisir?

— Oui, mais je ne vois pas le rapport.

Dans un soupir, le génie retira la pipe de sa bouche:

— Le temps, c'est comme un élastique: on peut l'étirer, le tordre ou le plier. Et une période peut avoir une longueur différente pour différentes personnes: ainsi telle période te paraîtra longue à toi, alors que tes parents la trouveront courte.

Il se mit à rire:

— Ils n'ont même pas besoin d'être mis au courant de

ton escapade. Cesse donc de t'affoler et dis-moi où tu veux aller . . .

— Eh bien, le sujet de ma rédaction, c'est une légende amérindienne . . .

— Bon, finissons-en! Dire que j'aurais eu le temps d'exaucer mille voeux depuis le début de cette conversation. Tu es en train de me mettre à terre avec ton babillage.

— Il faut donc que j'aille chez des Amérindiens.

— Si tu veux rencontrer des Amérindiens, pourquoi ne vas-tu pas faire un tour chez les Georges, à un coin de rue d'ici?

— Je ne veux pas parler des Amérindiens d'aujourd'hui, mais de ceux d'antan, qui vivaient en tribus dans des cabanes et qui avaient le culte du totem. Tu connais cette sorte d'Amérindiens?

Amanda attendit, mais rien ne se passa.

— Et alors? demanda-t-elle après quelques instants.

— Par tous les sorts! tonna-t-il, vas-tu finir par te rappeler qu'il faut dire "je souhaite"?

— Je souhaite! cria Amanda du tac au tac.

Soudain saisie d'un haut-le-coeur, Amanda déglutit pour combattre la nausée. Ses jambes faiblirent et sa tête se mit à tourner. Fermant les yeux, elle prit conscience de la noirceur environnante, tandis qu'une âcre senteur de fumée remplissait l'atmosphère. Au bout d'un moment, elle ouvrit les yeux.

Elle se trouvait dans une immense construction; en plein centre, elle distinguait un feu autour duquel des personnages exécutaient une danse rituelle, lente et rythmique. Vêtus de longues capes ornées de bijoux ou de coquillages qui reflétaient les lueurs du feu, ils portaient des masques grotesques et terrifiants. L'un de ces masques, surmonté d'un long bec, représentait un oiseau; sur un autre, elle reconnut un visage humain.

Assise au milieu d'un groupe de femmes et de fillettes, Amanda s'appuyait contre une saillie du mur. En face

58

d'elle, de l'autre côté du feu, se trouvaient d'autres hommes et d'autres femmes, dont quelques-uns battaient la mesure sur de gros tambours ronds. Un personnage faisait cliqueter une crécelle pendant que les autres scandaient une mélopée incantatoire.

Levant les yeux, Amanda aperçut un gros oiseau noir qui planait au-dessus du trou à fumée percé dans le toit. L'oiseau plongea vers le feu qui s'éteignit.

Dans l'obscurité totale, on entendit alors des cris d'enfants. Tout près, une femme hurla. Amanda se blottit contre le mur.

Tout à coup, le feu se ralluma.

Amanda risqua un oeil hors de sa cachette. Il y avait maintenant beaucoup moins de monde dans l'enceinte car les femmes et les enfants avaient disparu. Le chef prit une expression horrifiée. Amanda vit un vieillard s'approcher de lui, tout courbé dans une ample cape couverte de coquillages. Il s'empara d'un bâton de devin, dont il frappa le sol. Amanda estima qu'il s'agissait sans doute du chaman, l'homme le plus vénéré de la tribu.

— C'est Corbeau qui a enlevé les femmes, déclara-t-il. Il doit être en colère et c'est la façon qu'il a trouvée pour nous punir. Nous allons tenir conseil.

Puis, il s'assit à l'indienne auprès du feu où, un à un, tous les hommes vinrent le rejoindre. Les garçons formèrent un grand cercle derrière eux.

Un courant d'air fit voler de la fumée dans la direction d'Amanda, qui éternua. Elle tenta de se dissimuler encore davantage dans son coin, mais elle ne pouvait plus passer inaperçue.

Le jeune chef la découvrit donc et la tira par la jambe.

— Petite Colombe! s'exclama-t-il, comment as-tu pu échapper à Corbeau?

Amanda se releva, rougissant sous le feu de tous les regards rivés sur elle. Qui était Petite Colombe? Elle éternua à nouveau et se frotta le nez, remarquant l'absence du poids familier de ses lunettes; et pourtant, elle voyait parfaitement.

— Elle doit être dans les bonnes grâces de Corbeau, émit le chaman.

— Je me suis cachée, murmura Amanda, qui ne voulait pas les laisser sur une fausse impression.

Mais on ne l'entendit pas. Tous gardaient les yeux fixés sur le chaman, personnage puissant et mystérieux, immobile près du feu dont les lueurs dansaient sur son visage aux traits volontaires. Flageolant sur ses jambes, Amanda dut s'asseoir.

— Nous ne pouvons pas vaincre Corbeau par la force, déclara le chaman. Nous devons recourir à la ruse. Si Petite Colombe n'a pas été capturée, c'est que ses pouvoirs doivent être considérables. La nuit porte conseil: demain, nous saurons quoi faire. En attendant, il faut veiller à ce que rien n'arrive à cette enfant.

Amanda cherchait des yeux qui pouvait bien être cette Petite Colombe. Puis son intérêt fit place à l'angoisse: "Petite Colombe, ce doit être moi", conclut-elle avec horreur.

Mais avant qu'elle eût pu expliquer au conseil qu'elle était Amanda Élizabeth Atkins, deux hommes la soulevèrent et la transportèrent dans le coin le plus reculé de la plate-forme réservée au sommeil, où ils déployèrent à son intention une épaisse peau d'ours.

— Dors bien, lui dirent-ils.

"Je veux m'en retourner à la maison, priait-elle désespérément. J'en sais assez, maintenant, pour faire ma rédaction. Génie, je veux m'en retourner!"

De très loin lui parvint un faible hennissement:

— Tu ne peux pas t'en retourner chez toi au beau milieu d'une légende! nasilla la voix du génie. Par ordre du syndicat.

"Je parie que c'est lui qui fait les règlements, pensa Amanda, furieuse. C'est comme s'il y en avait toujours des nouveaux. Bon! Eh bien, puisqu'il le faut, je patienterai, voilà tout."

Résignée, elle ramena une partie de la peau d'ours sur elle, une peau douce, chaude, imprégnée d'une étrange senteur de fumée, à laquelle elle s'habitua bientôt.

"Tout ce que j'espère, se disait-elle, c'est que la légende se termine sans que je sois obligée d'en faire partie pour toujours."

CHAPITRE 6

L'EXPLOIT DE PETITE COLOMBE

— Petite Colombe, réveille-toi, appela le chef, en secouant Amanda avec douceur.

Dans un état de demi-sommeil, la fillette jeta un regard autour d'elle, puis se rappela que Petite Colombe, c'était elle.

— J'ai peur, ne put-elle s'empêcher de dire.

Le chef fronça les sourcils:

— Pourquoi aurais-tu peur? Si Corbeau ne t'a pas enlevée, c'est à cause de la magie puissante qui émane de toi. Tu ne peux pas te permettre d'avoir peur, tu es trop importante.

"Importante ou pas, songeait Amanda, je ne me sens pas différente."

En fait, elle se sentait de mauvaise humeur, angoissée, et elle avait faim.

Le chef lui fit traverser le sol de terre battue et la conduisit jusqu'au feu, où il lui indiqua de s'asseoir près du chaman et des autres hommes. Quel honneur pour Amanda de participer ainsi au conseil! Mais la fillette l'aurait sans doute apprécié à sa juste valeur si elle ne s'était pas sentie tellement elle-même, Amanda Élizabeth Atkins, venue là seulement pour recueillir des données en vue de sa rédaction.

Après l'avoir saluée, le chaman déclara:

— Nous mangerons d'abord; puis nous dresserons notre plan pour libérer nos femmes des griffes de Corbeau.

Cinq garçons apparurent, portant des bols de nourriture, les uns découpés à même les arbres et dont la forme faisait penser à des baignoires de bébé, les autres constitués d'écorce de cèdre tressée de façon très serrée. Lorsqu'ils furent déposés devant le chaman et le chef, Amanda se pencha pour regarder dans les bols. Elle en eut l'appétit coupé: dans un liquide de couleur indéfinissable flottaient de gros morceaux de poisson!

Amanda aurait voulu se voir n'importe où, sauf là! Comme elle regrettait de n'avoir pas apporté un sandwich au beurre d'arachides! Si elle avait au moins un de ses chocolats à l'érable et aux noix!

"Du poisson . . . eurk!" songea-t-elle avec dégoût.

— Mange, Petite Colombe, ordonna le chaman.

Jouant machinalement avec le bout de ses cheveux, Amanda se disait que si un seul morceau de poisson passait ses lèvres, elle en serait malade et vomirait sur place, devant tous les membres du conseil. Tout à coup, elle eut l'impression d'entendre, venant de très, très loin, un rire moqueur:

— Hi! Hi! Hi!

Elle se retourna brusquement, à l'ébahissement des hommes, qui, eux, semblaient n'avoir rien entendu.

"Génie de malheur! pestait-elle intérieurement. Me mettre dans une légende où il y a des poissons, et rire de moi par-dessus le marché!"

— Mange, Petite Colombe. Nous ne triompherons pas de Corbeau avec l'estomac vide.

Amanda se demandait ce qui arrivait aux enfants amérindiens quand ils refusaient de manger. On ne pouvait les envoyer à leur chambre, alors peut-être les envoyait-on dehors, dans la forêt?

— Petite Colombe a peur, railla le chef, tout comme l'oiseau dont elle porte le nom.

Mais tout à coup, Amanda sut quoi répondre. Regardant le chef avec toute la fierté dont elle était capable, elle prit la parole:

— Oui, j'ai peur. Peur pour ma mère et mes tantes et mes soeurs, que Corbeau a enlevées. Et je ne peux manger de poisson, parce que c'est justement le poisson qui nous vaut la colère de Corbeau. Nous n'en avons pas donné beaucoup à Corbeau, de peur d'en manquer pour nous; nous nous pensions plus importants que Corbeau. Non, je ne mangerai pas de poisson tant qu'il ne nous aura pas rendu nos femmes.

"Après, pensait-elle, je déguerpirai d'ici et j'irai me chercher un hamburger."

Les hommes la regardèrent, saisis d'admiration:

— Ce sont des paroles d'une grande sagesse! commenta le chaman. Tu deviendras un illustre membre du conseil, comme ta mère. Apportez-nous des baies et de la viande séchée, demanda-t-il aux garçons.

Après le repas, il la conduisit dehors et lui donna un panier plein de poissons.

— Tu vas tracer un sentier de saumons pour Corbeau; tu déposeras le dernier saumon à l'intérieur d'un cercle que nous avons dessiné au bout du sentier. Puis, tu t'assoiras dans le cercle et tu attendras. Corbeau ne pourra pas résister au saumon. Lorsqu'il s'avancera dans le cercle, tu devras lui lancer cette corde au-dessus de la tête.

Le chaman lui tendit alors une sorte de lasso d'écorce tressée et ajouta:

— Lorsqu'il se verra pris au piège, Corbeau sera furieux et il essaiera de s'envoler, mais tu dois l'en empêcher.

Amanda fit un signe d'assentiment mais elle ne put réprimer un frisson, subjuguée par le regard hypnotique du chaman.

Il lui passa le panier. Du poisson! Des dizaines, des centaines, des milliers de poissons visqueux, écailleux, froids et mouillés!

En procession solennelle, les Amérindiens l'accompagnèrent jusqu'au début de l'étroit sentier serpentant à travers les conifères géants.

Amanda voyait des centaines d'yeux ronds fixés sur elle dans le panier qui, déjà, commençait à sentir.

"Eurk! pensait-elle avec répugnance, je ne serai jamais capable de toucher à ces poissons. Qu'est-ce que je vais faire?"

Elle eut beau regarder tout autour dans l'espoir de trouver de l'aide, elle s'aperçut bientôt qu'elle ne pouvait compter que sur elle-même.

"Je n'ai pas le choix, reconnut-elle enfin. Si je veux ramener les femmes au bercail et m'en retourner chez moi, il va falloir que je le fasse! Eurk!"

Fermant les yeux, elle tenta de se convaincre:

"Je ne suis pas Amanda. Je suis Petite Colombe, et Petite Colombe aime le poisson . . ."

C'est ainsi qu'elle réussit à saisir un premier poisson, froid et visqueux, qu'elle lança sur le sol. Puis elle ouvrit les yeux, se secoua la main, et eut un haut-le-coeur.

Portant le lourd panier malodorant sur son épaule, Amanda avança de quelques pas, ferma les yeux à nouveau et, replongeant la main dans l'amas gluant, lança un autre poisson sur la piste. Des écailles lui collèrent à la peau, et elle tenta de s'en débarrasser en se frottant sur la terre. Réussissant à vaincre sa nausée, elle poursuivit son chemin sur le sentier, mais plus le panier se vidait, plus sa main sentait mauvais. Pour se donner du courage, Amanda ne cessait de se répéter:

"Je suis Petite Colombe. Je suis importante. Allez, viens, Corbeau, viens prendre ton poisson."

Enfin le dernier poisson! Inquiète, Amanda se demanda si elle avait mal calculé la distance et s'il ne lui faudrait pas retourner déplacer tous les poissons. Mais non! Un coup d'oeil lui suffit pour la rassurer: là-devant, la piste s'élargissait et la fillette aperçut un cercle au milieu de l'éclaircie. Elle y déposa son dernier poisson et s'assit le plus loin possible du saumon. Puis, enroulant son lasso, elle le prit par une extrémité.

Un soleil de plus en plus chaud dardait ses rayons ardents sur la poussière, les cailloux, et sur la tête d'Amanda; il les dardait aussi sur les poissons, dont la puanteur, s'amplifiant à chaque instant, imprégnait l'air au point de devenir presque visible.

Au bout d'une heure, l'odeur devenant insupportable, Amanda ne fut plus capable de penser à autre chose qu'à s'en aller. Ses jambes étaient ankylosées à force de ne pas bouger; de plus, elle avait mal au dos, à la tête et ressentait une envie irrésistible de se lever. Mais le chaman lui avait enjoint de rester assise. C'était encore plus pénible que les séances de pose dans le studio de sa mère!

"Qu'on en finisse avec cette légende, que je retrouve ma chambre et mes jeans si confortables! priait-elle. Et que je dise ma façon de penser à ce génie de malheur qui a osé me faire toucher à du poisson!"

Elle se décroisa la jambe, ce qui la soulagea un tantinet. Puis, elle s'amusa à dérouler et à enrouler le lasso.

Soudain, un violent bruit de branches se fit entendre dans les arbres au bout de la piste. Se redressant, Amanda sentit son coeur battre la chamade et ses mains devenir moites.

Dans l'ombre profonde de la forêt se déplaçait une ombre plus profonde encore. Corbeau! La fillette en eut le souffle coupé. Elle s'était attendue à voir un oiseau, comme une corneille, par exemple, ou un aigle, mais jamais elle ne l'avait imaginé aussi redoutable. Jamais elle n'avait vu d'oiseau aussi volumineux! Plus gros même que les ours du zoo! Aussi énorme que la fameuse baleine qu'elle avait vue au cinéma!

Tantôt se dandinant, tantôt bondissant, Corbeau atteignit le cercle et engloutit le dernier poisson. Puis il remarqua Amanda:

— C'est tout? croassa-t-il.

Trop saisie pour pouvoir faire le moindre mouvement, Amanda le regardait droit dans les yeux.

— C'est tout ce qu'il y a de poisson?

Elle fit un petit signe de tête affirmatif.

— Eh bien alors, je vais m'en aller ... ou peut-être devrais-je te manger, toi aussi? demanda-t-il dans un battement d'ailes menaçant qui lui fit se redresser la tête.

D'un geste vif, Amanda lui lança le lasso autour du cou. Elle se mit sur pied, tant bien que mal, et elle tira:

— Ça y est, je t'ai eu, dit-elle.

— Mais pourquoi vouloir m'attraper? s'étonna-t-il d'un ton outragé et pathétique. Je faisais une simple balade, sans me mêler des affaires de personne. J'ai trouvé du poisson, je l'ai mangé, voilà tout!

Mais ses yeux affolés roulaient en tous sens, cherchant un moyen de se libérer.

— Je suis Petite Colombe et je possède des pouvoirs magiques considérables. Tu n'as pas pu me capturer quand tu as enlevé ma mère et mes soeurs. Et maintenant, tu vas me révéler leur cachette.

Quelle conviction dans ses paroles! Amanda était ravie de s'entendre.

— Un piège, c'est ça? D'accord, tu gagnes. Retire cette corde et je te les ramène.

Il la regardait du coin de l'oeil. Amanda se tenait sur ses gardes, méfiante:

— Non. Je fais mieux de venir avec toi pour m'assurer qu'elles sont saines et sauves.

— Tu peux me faire confiance, croassa Corbeau, froissé.

— C'est toi qui le dis, répondit Amanda. Il faut que je les ramène ou alors je ne peux pas m'en retourner chez moi.

Elle se mordit les lèvres:

"La gaffe!" se dit-elle.

Mais Corbeau ne sembla pas s'en apercevoir:

— Nous y allons à pied, alors, insinua-t-il; comment veux-tu que je vole avec cette corde autour du cou?

— Si je te l'enlève, tu t'empresseras de t'enfuir!

— Qui, moi? Tu me crois capable de faire ça?

Amanda ne prit même pas la peine de répondre.

— Je vais te délivrer, Corbeau, mais tu me transporteras sur ton dos. Et, au moindre faux mouvement, je te remets en laisse.

L'air dégoûté, Corbeau secoua les épaules, comme si le lasso lui faisait mal.

Elle desserra donc le noeud pour pouvoir lui retirer la corde du cou, mais seulement après être grimpée sur son dos. C'est alors que, déployant ses ailes puissantes, Corbeau prit son envol. Amanda lui passa les bras autour du cou et s'agrippa solidement. Il monta en flèche, de plus en plus haut, effleurant les cimes des pins Douglas et des monts enneigés, survolant cours d'eau et bras de mer qui, de là-haut, ressemblaient à des morceaux de miroir brisé. Plus l'oiseau prenait de l'altitude, plus le soleil paraissait chaud et le vent, froid.

Brusquement, Corbeau amorça bientôt un plongeon vertigineux qui fit siffler le vent sur leur passage. Puis, sans même freiner, l'oiseau géant exécuta un dangereux tête-à-queue et Amanda faillit tomber à la renverse. Cette dernière manoeuvre eut toutefois pour effet de diminuer considérablement la vitesse de Corbeau. C'est alors qu'Amanda aperçut dans une clairière les femmes et les petites filles, qui coururent à sa rencontre en la reconnaissant.

— Petite Colombe! Il t'a eue, toi aussi!

— C'est moi qui l'ai eu! rectifia Amanda.

Glissant sur le sol, elle allait rejoindre le groupe de femmes quand elle se retourna vivement, juste à temps pour voir Corbeau battre des ailes, comme pour prendre son envol. Elle n'eut que le temps de lancer son lasso, qui fendit l'air avant de retomber autour du cou de l'oiseau.

— Et maintenant, tu nous ramènes toutes, ordonna la petite fille.

— Je ne peux vous ramener toutes à la fois, protesta-t-il.

— Tu les as bien emmenées toutes en un seul voyage, n'est-ce pas?

— Bon! d'accord, soupira Corbeau. Grimpez sur mon dos ...

Amanda s'installa la première sur l'oiseau pour pouvoir relâcher le lasso, et les autres vinrent se placer derrière elle. La fillette prit vraiment conscience de la magie des légendes en voyant la taille de Corbeau augmenter au fur et à mesure, de façon à accommoder tout son monde. On aurait dit un petit avion-taxi! Le retour lui parut encore plus étourdissant et palpitant que l'aller.

Corbeau se posa dans l'éclaircie où Amanda l'avait attrapé et, au moment où les passagères mettaient pied à terre et que l'oiseau reprenait sa taille normale, les hommes émergèrent de la forêt pour les accueillir.

Le chef parlementa avec Corbeau et lui promit de toujours lui donner une part du saumon de la tribu. En retour, Corbeau promit de ne pas répéter son geste et d'utiliser plutôt sa puissance pour les protéger. Le chef lui annonça que la tribu le choisissait comme totem officiel et qu'on

allait sculpter des masques en son honneur. Corbeau en fut si content qu'il lissa ses plumes en se rengorgeant. Puis, saluant Amanda, il s'envola.

— Petite Colombe, dit alors le chef en se tournant vers Amanda, grands sont tes pouvoirs magiques, et grande est ta bravoure. À cause de cet exploit, tu seras formée pour devenir chamane, une fois ta croissance terminée. Et maintenant, nous allons festoyer et danser en ton honneur et pour célébrer le retour de nos femmes.

Rouge de confusion et de fierté, Amanda était sur le point de remercier le chef en l'assurant qu'elle n'avait rien fait d'extraordinaire, quand une curieuse sensation s'empara de son estomac. Elle ferma les yeux.

Quand elle les rouvrit, elle se retrouva debout dans sa chambre, vêtue de ses jeans, lunettes sur le nez, tube de dentifrice à la main.

Sans cesser de se bercer dans sa bulle, le génie retira sa pipe et demanda:

— Alors, tu t'es bien amusée?

— Oui, beaucoup; mais pourquoi m'avoir ramenée si vite? J'aurais bien aimé rester pour la danse, moi!

— Cette fois, tu n'aurais pas pu t'en sauver: il t'aurait fallu le manger, ce poisson!

— À propos de poisson, avais-tu besoin de me mettre dans une légende où il y en avait autant?

Le génie fut pris d'un fou rire incontrôlable:

— Jamais je ne me suis autant amusé que quand tu essayais de prendre ce premier saumon!

— Il n'y avait rien de drôle là-dedans. Je pense que tu l'as fait exprès!

— Franchement, Amanda, ton ingratitude me déçoit beaucoup, gouailla-t-il, tandis que son gros rire se changeait en gloussement. Tu sais bien que je ne peux pas choisir . . . enfin, pas beaucoup.

— Où était la véritable Petite Colombe? Où se cachait-elle tout le temps que je prenais sa place? Est-elle de retour, maintenant? De quoi a-t-elle l'air?

— Je n'en sais rien. Je ne suis qu'un apprenti génie, tu sais. Je suppose qu'elle est revenue parmi les siens. De toute façon, n'as-tu pas un travail à rédiger?

Le lendemain matin, Amanda remit sa rédaction, la plus longue de toute la classe. Lorsque madame Hayward annonça les notes, elle appela Amanda à son pupitre:

— Je t'ai donné 90 pour cent, lui dit-elle, parce que tu as travaillé fort. Mais, ajouta-t-elle sévèrement, dans un travail de ce genre, tu dois t'en tenir aux faits et ne pas te laisser emporter par ton imagination.

— Très bien, madame, acquiesça Amanda, poliment.

CHAPITRE 7

QUEL CHEVAL!

Une autre semaine s'écoula sans qu'Amanda demande un cheval ou une petite soeur. Ne pouvant obtenir ses dix voeux quotidiens, elle avait dû utiliser les voeux des jours suivants pour corriger les problèmes occasionnés par celui du lundi.

Au début, elle était ravie de sa chevelure impeccable qui ne bougeait pas d'un poil le long de son dos, sans la moindre touffe à démêler le matin; en fait, Amanda n'avait même plus besoin de se peigner. Au shampoing suivant, cependant, ce fut une autre histoire. Étendue dans la baignoire, Amanda voulut faire mousser sa chevelure, mais celle-ci, toute raide, ne laissait pas passer le shampoing, un peu comme ces traînées de savon qui glissent sur la carrosserie d'une auto au moment du lavage. Amanda trouvait qu'il s'agissait tout de même d'une amélioration sur le tirage de couettes habituel, mais lorsque sa mère vint lui donner un coup de mains, ce fut la catastrophe!

Madame Atkins saisit les cheveux de sa fille pour les rincer, et quand elle les laissa tomber, ils s'abattirent sur les épaules d'Amanda dans un tintement métallique. Croyant les cheveux de la fillette tout collés, madame Atkins roula ses manches et commença à frotter; à l'eau chaude d'abord, puis à l'eau froide, et même à l'alcool. Amanda finit par avoir le cuir chevelu si irrité que la séance se termina dans les pleurs et les grincements de dents.

Le lendemain, elle souhaita donc que ses cheveux retournent à la normale. Et tant pis s'il fallait recommencer à les démêler.

Amanda utilisa le voeu suivant pour régler le problème de son lit: ayant le sommeil très agité, elle se réveillait souvent les draps tout défaits et les couvertures gisant sur le plancher. Ses pieds ressortaient aussi parfois au bout du lit, même quand les couvertures avaient été ramenées très fermement sous le matelas; elle s'était même déjà retrouvée la tête au pied du lit et les orteils sous l'oreiller! Mais cela, c'était avant son voeu de propreté. Or, depuis le lundi précédent, Amanda n'avait pas réussi à trouver de position confortable dans ses couvertures qui, malgré son gigotage continuel, refusaient obstinément de bouger, au point qu'elle pouvait à peine respirer; voilà pourquoi, au bout de plusieurs nuits, elle dut ordonner au génie de remettre son lit dans son état d'autrefois.

Furieux, celui-ci commença par refuser; il lui déplaisait de défaire des voeux. Mais Amanda insinua:

— Quiconque est capable de dormir dans un tube de dentifrice ne saurait comprendre le confort d'un lit!

Alors, le génie, docile, redonna au lit son désordre confortable.

Le samedi suivant, à son réveil, Amanda comprit que le moment était enfin venu de formuler Le Voeu. Se jetant à bas du lit, elle s'habilla en un clin d'oeil et s'empara du tube de dentifrice.

— AÏE! cria le génie, les yeux à peine ouverts. Il n'est que sept heures du matin. Et c'est samedi. Tu ne fais jamais la grasse matinée, toi?

— Est-ce que tous les génies sont aussi grincheux que toi?

— Je ne suis pas grincheux! grogna-t-il. Bon, allons-y: quel voeu faut-il que je défasse, aujourd'hui? Chaque fois que tu m'en fais défaire un, tu sais, je dois le rayer de mon rapport, de sorte que bientôt, il n'y restera plus rien du tout.

— Rassure-toi, je vais souhaiter quelque chose de tout à fait nouveau aujourd'hui.

— C'est déjà ça, bougonna-t-il. Mais moi, j'aurais souhaité que tu choisisses une heure plus raisonnable.

— C'est une heure raisonnable. Je veux un cheval.

— Un cheval?

— Oui, un cheval, un cheval, tu connais ça, non?

— Un cheval?

— Mais qu'est-ce qui te prend? Tout le monde sait ce que c'est qu'un cheval! Un animal avec quatre pattes, une crinière et une queue et que l'on peut monter.

— Je ne suis pas *tout le monde,* bâilla le génie en se frottant les yeux, je suis *moi.*

Amanda se demandait s'il ne savait vraiment pas ce qu'était un cheval ou s'il feignait seulement l'ignorance sous prétexte qu'il était trop tôt. Mais elle se rassura bientôt, car il reprit:

— Voilà peut-être le genre de voeu qui saura plaire au Grand génie!

— Je veux Flamme.

Le génie sembla tomber des nues:

— Mais tu viens de me dire que tu voulais un cheval!

— Je veux un cheval qui ressemble à Flamme.

— Par tous les sorts, Amanda, je ne peux pas exaucer ton voeu.

— Et pourquoi pas?

— Tu n'as pas dit: je souhaite!

— Je *souhaite* que tu me fasses un cheval qui ressemble à Flamme. S'il te plaît.

— Je ne puis toujours pas.

— Allons, quoi encore?

— Je ne sais pas à quoi ressemble Flamme.

— Oh! si ce n'est que ça! Flamme est un étalon qui, comme son nom l'indique, a la couleur du feu. Il est énorme, vraiment énorme. Et farouche, avec ça! Il ne se laisse conduire par personne d'autre que moi, mais, avec moi, il est doux comme un agneau.

— Ouais! . . . Ce serait beaucoup plus facile si j'en avais déjà vu un . . .

— Mais tu m'as déjà dit que les génies pouvaient lire dans les esprits. Alors, je vais tracer le portrait de Flamme dans ma tête et tu vas le copier, d'accord?

Le génie acquiesça.

Les yeux fermés bien dur, Amanda imagina Flamme aussi clairement qu'elle en était capable. Cependant, saisie d'une inquiétude soudaine, elle souleva les paupières.

— Ne le fais pas ici . . .

Trop tard. Le génie était déjà disparu.

Et au même moment, Amanda aperçut, là devant elle, debout au milieu de la chambre, un vrai alezan en chair et en os, une vraie bête de race, avec sa tête noble, ses oreilles dressées, ses yeux profonds, d'un beau brun foncé, qui respiraient la chaleur et l'intelligence. Il portait même sur le dos une selle et une bride anglaises.

— Oh! . . . Flamme!

Un joyeux hennissement lui répondit. Amanda lui flatta l'encolure pendant qu'il flairait ses poches. Oui, c'était bien là le cheval de ses rêves.

— Merci, ô génie merveilleux! murmura-t-elle.

— Amanda! Viens vite, le déjeuner est servi!

Flamme eut un léger frémissement et Amanda dut lui mettre la main sur les naseaux pour l'empêcher de hennir à nouveau.

— Amanda!

— Oui, j'arrive!

"Que faire?" s'inquiétait-elle, en quittant sa chambre, dont elle prit soin de bien refermer la porte.

Mais elle se ravisa et rouvrit. Peut-être devrait-elle profiter justement de l'heure où ses parents mangeaient pour faire sortir Flamme dehors? Mais, de la table de la cuisine, on pouvait tout voir dans la cour. Et il était hors de question de le laisser devant la maison: des plans pour qu'il aille se balader dans la rue et que des voisins le remarquent.

Refermant la porte, elle se dit qu'il se présenterait sans doute une occasion plus propice de le faire sortir après le petit déjeuner, car ses parents allaient parfois magasiner le samedi. Mais pourquoi aussi le génie ne l'avait-il pas fait apparaître à l'extérieur?

— *Amanda!*

— J'arrive!

Oh . . . oh! Trop tard maintenant pour décider du sort du cheval: voilà que madame Atkins s'amenait au bout du couloir. Flamme devrait donc rester dans la chambre jusqu'à ce qu'Amanda trouve le moyen de le déménager.

CHAPITRE 8

L'IMPOSTEUR!

— J'arrivais justement! lança Amanda, essoufflée, en atterrissant sur sa chaise si brusquement qu'elle renversa son verre de lait. Oh! désolée, s'excusa-t-elle, en s'empressant d'aller chercher un torchon.

Monsieur et madame Atkins échangèrent un regard et ne purent s'empêcher de rire.

— On reconnaît bien là notre bonne vieille Amanda, fit son père. Toute la semaine, franchement, tu nous as paru un peu bizarre. Ça fait du bien de te voir revenue à la normale.

La fillette ne savait trop comment interpréter cette remarque: s'agissait-il d'un compliment ou d'un reproche déguisé?

"Au moins, se dit-elle, ils n'ont pas l'air fâchés contre moi!"

Tout à coup, on entendit un grand bruit en provenance de sa chambre.

— Qu'est-ce que c'est que ça? s'enquit sa mère.

— Hum! probablement des livres . . . qui sont tombés.

— Tu veux dire la bibliothèque au grand complet, ricana son père.

Amanda engouffra une crêpe presque complète; tout ce qu'elle espérait, c'était de pouvoir retourner dans sa chambre avant que Flamme ne s'avise de hennir.

"Bon! voilà papa installé dans son fauteuil, dos au couloir. Et maman qui s'apprête à laver le plancher de la cuisine. C'est ma chance!"

Et ce fut cet instant précis que Flamme choisit pour hennir. Improvisant, Amanda lança un formidable mugissement qui fit sursauter sa mère.

— Mais qu'est-ce qui te prend? s'inquiéta-t-elle.

— Je suis un cheval! s'époumona la petite fille.

Elle partit au galop, fit deux fois le tour du salon, traversa le couloir sans débrider et se sauva dans sa chambre.

Flamme avait fait tomber la chaise de son pupitre et, levant la tête à son entrée, il s'empêtra dans les barreaux. Voulant se déprendre, il recula dans les étagères où il s'ébroua de terreur dans un fracas du tonnerre.

— Holà! du calme! murmura Amanda, en lui dégageant la patte.

Puis, lestement, elle saisit les rênes et jeta un coup d'oeil prudent dans le couloir pour vérifier si la route était libre.

Au même moment, la voix de son père lui parvint du salon:

— Ma foi, Amanda, quel talent d'imitatrice! On jurerait qu'il y a vraiment un cheval dans ta chambre!

— Je m'améliore! rétorqua-t-elle, du tac au tac. Allons, viens, glissa-t-elle ensuite à l'oreille de Flamme.

Tirant sur les rênes, elle le guida le long du couloir en direction du boudoir, hennissant sans arrêt pour couvrir le tapage que faisaient les sabots, même sur le tapis.

"Quelle chance que ma chambre soit au rez-de-chaussée!" songea-t-elle.

Soudain, entendant venir sa mère, elle entraîna le cheval dans la salle de bains, referma la porte avec fracas et poussa le verrou. Il était grand temps, car sa mère se dirigeait aussi vers la salle de bains.

— Franchement, Amanda, si tu tiens absolument à être un cheval, aurais-tu au moins l'obligeance d'aller dehors. Les chevaux n'ont pas leur place dans la maison. Tout ce

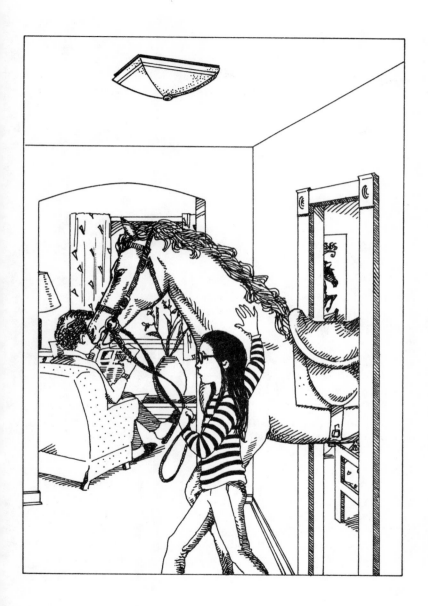

vacarme m'empêche de penser. Et veux-tu bien me dire quelle sorte de chaussures tu as dans les pieds?

— Désolée, maman, cria la fillette à travers la porte.

Flamme avait réussi à se faufiler entre l'évier et la baignoire.

— J'ai presque terminé, ajouta-t-elle en retenant son souffle et en couvrant de la main les naseaux de Flamme au cas où l'envie lui prendrait de se mêler à la conversation.

— Es-tu certaine que tu vas bien? s'inquiéta madame Atkins, en tentant de faire jouer la poignée de la porte.

— Oui, oui, ça va . . . Aïe!

Flamme venait de lui donner un coup de tête.

Peu après, Amanda entendit sa mère qui retournait à la cuisine. Elle patienta quelques minutes de plus, puis entrebâilla prudemment la porte. Quelques pas les séparaient du petit boudoir donnant sur le patio. Elle fit d'abord sortir le cheval, puis huma l'air de la salle de bains. Une odeur d'étable caractéristique s'en dégageait, et Amanda prit le temps de vaporiser quelques jets de rafraîchisseur d'air.

"C'est un peu mieux, se dit-elle, maintenant on dirait une étable dans une forêt de pins."

Tenant fermement la bride, elle conduisit Flamme jusqu'aux grandes portes-fenêtres du boudoir, les fit glisser puis, une fois dehors, elle entraîna la bête sur le côté de la maison, à l'abri des regards. Flamme se mit à brouter et elle l'attacha solidement à la clôture.

Pénétrant en coup de vent dans la cuisine, elle entra en collision avec sa mère.

— Youps! s'exclamèrent-elles en même temps.

— Je t'en prie, calme-toi, dit madame Atkins.

Mais Amanda, d'un geste brusque, ouvrit toute grande la porte du réfrigérateur, tira le tiroir à légumes et saisit deux carottes, sous les yeux abasourdis de sa mère.

— Je croyais que tu détestais les carottes!

— Oui, mais les chevaux les adorent!

Puis, sans transition, elle ajouta:

— Est-ce que vous devez sortir bientôt, papa et toi?

— Je ne crois pas; mais pourquoi?

— Oh! juste pour savoir. Bon, eh bien, salut!

Elle détala à travers le couloir, passa la porte-fenêtre et se retrouva dehors. Flamme leva la tête vers elle, un beau gros pétunia entre les dents.

— Oh! non, pas ça, vilain cheval! L'herbe seulement! Pas les fleurs!

Mais Flamme avait déjà trouvé le moyen d'agrémenter son menu en engouffrant la toute dernière rangée de pétunias que madame Atkins avait plantés il y avait dix jours à peine; il ne restait que trois fleurs solitaires et un petit tas de crottin frais qu'Amanda s'empressa d'enterrer, en espérant qu'on n'y porterait pas attention.

Et maintenant, comment faire sortir Flamme du jardin sans que madame Atkins ne l'aperçoive par la fenêtre de la cuisine?

"Quel dommage que les gros arbres poussent tous le long de la clôture, pensait Amanda, et qu'ils ne puissent nous servir d'abri."

Abandonnant Flamme, Amanda longea la maison en rampant jusqu'à la fenêtre de la cuisine et risqua un oeil: sa mère était en train d'essuyer le comptoir. Mais la fillette remarqua que la cafetière fumait.

"Bon signe, ça!" se dit-elle.

Distraitement, elle sortit une carotte de sa poche et en prit une bouchée.

"Tiens, ça goûte moins mauvais que les autres fois!" constata-t-elle.

Nouveau coup d'oeil: madame Atkins se versait du café.

"Pourvu maintenant qu'elle aille le boire au salon, comme d'habitude!" espérait Amanda.

Revenant vers Flamme, elle le détacha et, sans oser le moindre regard en direction de la fenêtre, elle le fit trotter jusqu'à la barrière, puis passer dans la ruelle.

Elle essuya ses mains moites sur ses jeans et parut un moment soucieuse, en constatant que Flamme était vraiment un gros cheval. Il tournait justement la tête vers elle, d'un air qui semblait dire: "Eh bien, qu'est-ce qu'on attend pour partir?"

Mais, pour pouvoir se mettre en selle, elle dut chercher un endroit un peu surélevé. Là, elle lui passa les rênes autour du cou et mit un pied dans l'étrier. S'agrippant à l'avant de la selle, elle put enfin se hisser, non sans mal, sur Flamme qui attendait patiemment que sa cavalière fût prête.

— Bon, ça y est! Allons-y, dit-elle en pressant les jambes contre les flancs de Flamme.

La bête partit d'un pas tranquille. Là-haut, sur la selle, Amanda pouvait voir tous les jardins de l'autre côté des clôtures en bordure de la ruelle. Ici, trois petits garçons s'amusaient à creuser dans un tas de terre. Plus loin, entre les maisons, apparaissaient des collines et des fragments de paysage dans le bleu du firmament. C'était tellement plus agréable de se promener à cheval qu'à pied!

Elle flatta le cou de Flamme, qui se mit à gambader de reconnaissance, mais en faisant très attention, comme s'il se sentait responsable de son écuyère.

Elle continua de remonter les ruelles qui longeaient les jardins, jusqu'au terrain de l'école secondaire. Une fois sur l'herbe, elle laissa libre cours à sa monture qui, délaissant le pas pour le galop, s'en donna à coeur joie autour du champ, arrachant des touffes de gazon et mettant en déroute les amateurs de balle venus jouer leur partie du samedi matin. Quel plaisir que de monter Flamme: son allure était si douce qu'Amanda avait l'impression de monter le vent. À peine si ses sabots effleuraient le sol, au point que la jeune écuyère ne bougeait pour ainsi dire pas sur sa selle. Jamais elle n'avait vécu expérience aussi exaltante!

"Quel tandem formidable nous formons tous les deux, songeait-elle; il n'y a rien à notre épreuve dans le monde entier!"

Au bout de trois grands tours, Amanda ramena la cadence de Flamme au trot, puis au pas. Il s'ébroua et caracola, comme s'il voulait ne jamais interrompre son équipée.

— Veux-tu bien faire déguerpir ce cheval des terrains de l'école! vociféra un homme portant une casquette de baseball et un gant de receveur. Ces terrains sont interdits aux chevaux!

Rouge de colère, il s'avançait vers elle, suivi de toute l'équipe, dans laquelle Amanda reconnut quelques compagnons de classe.

— Ce champ est réservé aux pratiques de baseball, et non aux compétitions olympiques d'équitation! poursuivit l'entraîneur. Et maintenant, ouste! hors d'ici avec ta monture! Vois dans quel état vous avez mis le gazon.

L'enthousiasme d'Amanda se refroidit et une boule se forma dans son estomac. Regardant derrière elle, elle constata que les sabots de Flamme avaient, en effet, soulevé de grosses mottes de terre dans le beau champ bien gazonné.

— Dis donc, Amanda, c'est à toi, le cheval? s'enquit Julot.

Elle lui fit signe que oui et bientôt tous les membres de l'équipe les entourèrent, chacun tentant de flatter Flamme.

— En tout cas, admira Pierre, c'est toute une monture que tu as là!

— Va promener ton cheval sur les sentiers de l'université, suggéra l'entraîneur, un peu radouci. Et nous, commanda-t-il à ses joueurs, reprenons la pratique.

Quittant la cour de l'école secondaire, Amanda se dirigea vers le terrain boisé et sillonné de sentiers qui séparait l'université de la ville.

Elle fit passer Flamme au petit trot et se sentit mieux. De toute façon, des pistes ombragées jalonnées çà et là d'obstacles à franchir valaient mieux qu'une cour d'école!

Un hennissement subit de Flamme qui s'arrêta tout net faillit la désarçonner. Elle se retrouva à plat ventre sur son cou. Au détour du sentier, un homme s'approchait, vêtu comme un véritable écuyer: casque, culotte, bottes et tout.

— Ah! te voilà, toi, espèce de canasson!

Flamme dressa les oreilles et souffla doucement.

— Où l'as-tu trouvé? demanda le cavalier à Amanda. Figure-toi qu'il m'a désarçonné il y a environ deux heures, et qu'il s'est sauvé. Vraiment, ce cheval me cause bien des tracas. J'avais peur qu'il aille par les rues de la ville et qu'il se fasse blesser. Il n'est pas habitué à la circulation automobile.

Complètement décontenancée, Amanda ne pouvait pas articuler une parole.

Le cavalier prit les rênes et flatta l'encolure de la bête.

— À propos, je m'appelle Jim Sutherland. Et je suis très content que tu l'aies retrouvé. Merci beaucoup.

Les yeux au sol, Amanda avait grand-peine à refouler ses larmes.

"Je ne vais tout de même pas me mettre à pleurer devant cet homme!" se reprit-elle pourtant, en battant des paupières.

— Tu peux descendre, maintenant, lui dit monsieur Sutherland au bout d'un moment.

Toujours sous le coup de l'étonnement, Amanda se laissa glisser en bas de sa monture. Elle allongea la main vers le cou de Flamme, puis la retira.

L'homme semblait perplexe:

— Plus j'y pense, plus je trouve cela étrange. Flamme est un cheval difficile à maîtriser, même par un adulte. En tout cas, tu dois être toute une écuyère, toi! Dis-moi, où as-tu appris à monter comme ça?

Amanda eut un geste d'ignorance.

— Eh bien, merci encore!

Prenant les rênes, il sauta en selle. Flamme se cabra, lança quelques ruades puis, tournant la tête vers Amanda, hennit doucement. Monsieur Sutherland le fit pivoter et Flamme s'éloigna au petit galop le long du sentier.

Après les avoir suivis des yeux le plus longtemps possible, Amanda rebroussa chemin, donnant libre cours à ses larmes.

"C'est pas juste, c'était *mon* cheval, s'indignait-elle. Le génie me l'a donné et personne d'autre que moi n'était censé pouvoir le monter. C'est pas juste! Ah! ce génie de malheur! Comment a-t-il pu me faire ça! Me donner le cheval d'un autre! Ce n'est qu'une espèce de faux jeton!"

Ramassant une roche, elle la projeta à toute volée contre un arbre.

"Je vais couper son tube de dentifrice en deux! Ah! le traître, il va me le payer!"

Elle entendit soudain des bruits de sabots derrière elle, mais n'en fit pas de cas.

— Holà! Une minute, jeune amazone! appelait monsieur Sutherland.

Feignant l'indifférence, elle ne se retourna même pas.

— Je ne sais pas où j'avais la tête, tantôt, poursuivit-il, ralentissant la cadence de Flamme, qui vint se frôler contre Amanda.

Celle-ci, oubliant son chagrin, lui tendit sa dernière carotte.

— Toi qui t'entends si bien avec Flamme, viendrais-tu à l'occasion le monter à ma place? Il a besoin de beaucoup plus d'exercice que ce que j'ai le temps de lui donner, car je pars souvent en voyage d'affaires. Flamme et moi aurions bien besoin de tes services.

Amanda releva la tête; l'homme lui souriait d'un air engageant.

Elle acquiesça d'un signe de tête. Elle pourrait au moins monter Flamme, faire semblant qu'il lui appartenait. C'était mieux que rien.

— Oui, ça me plairait beaucoup, merci, finit-elle par dire, appuyant la tête sur l'épaule du cheval, qui se mit à la flairer.

— Voici mon numéro de téléphone et mon adresse, et voilà où se trouve l'écurie de Flamme, ajouta le cavalier en griffonnant rapidement un bout de papier qu'il lui tendit. Dis à tes parents de me téléphoner ce soir; à nous deux, nous arriverons bien à les convaincre de te laisser promener Flamme, n'est-ce pas?

Amanda plia le papier avec soin:

— Sûr et certain, monsieur Sutherland.

Elle les regarda encore une fois s'éloigner au petit galop; mais, sachant maintenant que Flamme ne la quittait pas pour toujours, elle retrouva un peu de bonne humeur.

Elle n'avait pas sitôt mis le pied dans la maison qu'elle traversa le couloir en coup de vent, claqua sa porte de chambre et tira le génie de son tube: dès qu'elle put le distinguer au fond de sa bulle, elle lui cria à tue-tête:

— Qu'est-ce qui t'a pris, méchant génie, de m'enlever le cheval que tu venais juste de me donner? Je le voulais à moi toute seule!

— Comme on est ingrate, gouailla le génie d'un petit ton maussade. Tu en as un cheval à monter! Qu'est-ce que tu veux de plus?

— *Je voulais mon propre cheval bien à moi!*

— Je ne peux pas faire quelque chose à partir de rien, tu sais! répliqua le génie qui tira quatre rapides bouffées de sa pipe, de sorte qu'il se trouva bientôt noyé dans des volutes de fumée. Et aussi, quelle idée de tomber nez à nez avec le propriétaire de Flamme!

— Tu as *volé* Flamme!

— Es-tu en train de me traiter de voleur? frémit le génie, dont la bulle se couvrit d'écume.

— Justement! Quand tu subtilises un cheval à son propriétaire pour me le donner à moi, ça s'appelle un vol, figure-toi!

Malgré sa colère, elle ne put réprimer un sourire: elle s'imaginait son génie en train d'arracher Flamme d'entre les jambes d'un monsieur Sutherland éberlué pour le flanquer dans sa chambre.

Mais il faut dire que le génie avait, lui aussi, de bonnes raisons de se fâcher:

— D'accord, je suis censé exaucer tes voeux. Mais si tu t'avises de souhaiter rien de moins qu'un cheval, il faut que je me débrouille pour te le procurer avec les moyens du bord. J'ai fait de mon mieux, protesta-t-il en grattant sa chevelure verte. D'autant plus que les choses ne s'arrangent pas si mal, je trouve. Car enfin, où est-ce que tu l'aurais gardé, ton cheval? Dans le garage, peut-être? Et comment l'aurais-tu nourri? Et comment aurais-tu justifié sa présence aux yeux de tes parents? Je gage que tu n'avais pas pensé à tout ça, hein?

La bulle avait perdu son écume et le génie fumait tranquillement.

— En fait, je crois même que cette solution est encore la meilleure, ajouta-t-il. Pas fameux pour mon rapport, je dois le reconnaître, mais peut-on espérer davantage quand on a affaire à une gamine?

— Je ne suis pas une gamine, rouspéta Amanda.

Mais elle reconnaissait le bien-fondé des arguments du génie; c'est vrai qu'il n'aurait pas été facile d'annoncer à ses parents qu'elle avait fait l'acquisition d'un cheval. Et maintenant, eh bien, elle en avait un, tout de même — enfin, la moitié d'un.

— C'est bon, génie, concéda-t-elle, ça va pour cette fois. Mais, le prochain voeu que tu m'accordes, tu vas t'arranger pour que je puisse le garder, tu m'entends?

Dans un bâillement, le génie acquiesça et se ratatina dans son tube.

CHAPITRE 9

LE GRAND VOEU

Pendant plusieurs jours, Amanda ne reparla pas au génie. D'abord, elle devait rester à l'école après la classe pour préparer les compétitions sportives de fin d'année, puis elle montait Flamme à l'occasion; et cette fin de semaine-ci, Amanda et son père avaient aidé madame Atkins à déménager ses toiles à la galerie d'art en vue de son exposition.

Mais Amanda n'oubliait pas son génie pour autant: elle mijotait un plan pour obtenir son voeu le plus cher, sans que le génie le fasse virer à la catastrophe ou à la mauvaise plaisanterie, selon son habitude. Au bout d'un certain temps, elle crut avoir trouvé.

Elle dénicha donc le tube mauve et vert, en dévissa le capuchon orangé et pressa. Mais il ne restait pour ainsi dire plus de dentifrice: elle pressa de plus en plus fort, appuyant ses doigts sur toute la largeur et de bas en haut. Et quand la bulle mauve apparut enfin, elle lui sembla plus petite qu'auparavant. Forte de son plan infaillible, Amanda ne se formalisa pas de l'humeur massacrante de son génie.

— Tu m'as bien dit, génie, que tu n'es pas capable de faire quelque chose à partir de rien?

— Je suis incapable de faire quoi que ce soit! Je suis un génie raté!

— Ce n'est pas vrai, dit Amanda tout bonnement. Mais si tu ne peux faire quelque chose à partir de rien, c'est donc que ça te prend quelque chose au point de départ, c'est bien ça?

Le génie fit un signe de tête affirmatif. Il n'avait même pas allumé sa pipe, aujourd'hui.

— Es-tu capable de transformer un objet qui n'est pas vivant en être vivant? demanda la fillette en retenant son souffle.

Telle était, en effet, la partie la plus importante de son plan: elle ne voulait pas que le génie lui procure une petite soeur selon la méthode qu'il avait utilisée pour lui donner Flamme, c'est-à-dire au moyen d'un enlèvement.

— J'imagine que je serais capable de donner la vie à un objet inanimé, mais je trouverais sans doute moyen de manquer mon coup, d'une façon ou d'une autre!

— Mais qu'est-ce qui ne va pas?

— Oh! rien!

Examinant le génie, Amanda ne lui trouva pas bonne mine. Ses joues d'ordinaire si rondelettes s'étaient creusées en forme d'ovale, et il semblait plus petit qu'à l'accoutumée; même sa bulle avait perdu de son éclat.

— Ne t'en fais pas pour moi, soupira-t-il. Je ne suis ici que pour exaucer tes voeux. Ce qui m'arrive à moi n'a aucune importance.

— Allons, génie, cesse de t'apitoyer sur ton sort et confie-moi ton problème.

Le génie promenait tristement le tuyau de sa pipe dans sa bouche; deux larmes apparurent dans le coin de ses yeux et se mirent à couler doucement sur son visage. Il marmonna quelque chose.

— Quoi? Qu'est-ce que tu dis?

— Je dis que je n'obtiendrai pas mon diplôme! Aucune importance, remarque... puisque je ne suis qu'un raté.

— Comment sais-tu que tu ne l'obtiendras pas?

— Je le sais, c'est tout. Mon rapport n'est pas assez complet. Je serai le seul à ne pas graduer et je devrai recommencer mon apprentissage. Et tout ça par ta faute...

— Ma faute?

— Si seulement tu avais formulé des voeux qui avaient du bon sens! Mais non! tu souhaitais des choses stupides, comme faire disparaître un poisson, posséder une boîte de chocolats et un cheval. Et être toujours propre, un voeu encore plus difficile, ça, surtout dans ton cas!

Figée de surprise, Amanda l'écoutait sans pouvoir articuler un seul mot.

— Mais je m'en doutais depuis le début. À quoi d'autre pouvais-je m'attendre avec une gamine comme maîtresse?

C'est alors qu'Amanda retrouva sa langue:

— Ne viens surtout pas mettre la faute sur mon dos! C'est toi qui as flanqué en l'air chacun de mes voeux. Ça te plaisait de me voir dans le pétrin. Moi, je me contentais de souhaiter ce que je voulais, et toi tu me le refusais, comme mes dix voeux par jour par exemple. Et tu m'as affirmé que tu pouvais inclure mes chocolats et Flamme dans ton rapport. Mais il a fallu que tu fasses apparaître le cheval dans ma chambre, avec tous les problèmes que ça a failli me causer, et tu m'as rendue propre si rapidement que tu as semé la méfiance dans mon entourage, et tu as fait disparaître le poisson presque sous les yeux de ma mère! Je pense que tu me détestes et que tout ce que tu souhaites, c'est mon malheur. Et, de toute façon, je ne suis pas une gamine!

La colère du génie s'évanouit sous l'assaut d'Amanda. Il se remit à pleurer.

— C'est vrai; tu as parfaitement raison. J'ai manqué mon coup sur toute la ligne. J'ai foutu tes voeux en l'air parce que c'était plus amusant comme ça. Et maintenant c'est trop tard. Si je n'obtiens pas mon diplôme, je vais devoir aller dans un autre tube de dentifrice, ou pire encore, dans une boîte de détergent. Et ça me fait éternuer.

— Mais toi qui es génie, ne pourrais-tu pas souhaiter obtenir ton diplôme?

— Tu ne comprends rien! s'apitoya-t-il.

Amanda dut se pincer les lèvres pour éviter de se choquer:

— Non, je ne comprends pas, rétorqua-t-elle; alors, si tu m'expliquais?

— En tant que génie, je n'ai aucun pouvoir individuel. Tout ce que je peux faire, c'est la volonté de ma maîtresse. Et seuls les voeux acceptables comptent dans mon rapport. Or, si ma maîtresse ne souhaite pas des voeux au goût du Grand génie et que je ne peux les exaucer, eh bien adieu, diplôme! C'est aussi simple que ça!

— Ton Grand génie ne m'a pas l'air très génial! Car enfin, ça ne devrait pas être ta faute à toi si ta maîtresse souhaite des voeux à son goût à elle plutôt qu'au goût du Grand génie! C'est sur la façon dont tu les as exaucés que tu devrais être jugé.

— C'est bien mon avis, à moi aussi. Mais ce n'est pas celui du Grand génie! Et c'est lui qui décide.

Recroquevillé dans sa bulle, la pipe abandonnée sur ses genoux, le génie n'en menait vraiment pas large.

Amanda se mit à arpenter sa chambre, s'arrêtant devant la fenêtre en mâchant un bout de mèche de cheveux.

— Tu ne seras plus à moi, si tu obtiens ton diplôme?

— Que je l'obtienne ou pas, je ne serai plus à toi! Quand il ne restera plus de dentifrice, ou bien je graduerai, ou bien je m'en retournerai sur la tablette!

— Combien de temps te reste-t-il?

— Nous remettons nos rapports demain. Je te le dis, il n'y a pas assez de temps. Je n'aurais pas dû faire le fou comme je l'ai fait.

Et il fondit en larmes, à nouveau.

— Cesse de brailler et laisse-moi réfléchir!

Le génie essaya de rallumer sa pipe, mais elle était bien trop mouillée.

— Quelle sorte de voeu faudrait-il pour le satisfaire, ton Grand génie?

— Il est matérialiste, répondit le génie, découragé. Il adore les villas luxueuses, les vêtements ultra-chic; si je produisais, par exemple, beaucoup de bijoux, je serais sûr de graduer.

— Il me paraît pas mal vieux jeu, ton Grand génie, observa Amanda. T'imagines-tu l'air de mes parents si ma chambre était remplie de bijoux!

— Tu vois ce que je veux dire!

— J'ai trouvé! Si *moi*, je souhaitais que tu obtiennes ton diplôme?

— Oh! non, ça me causerait encore plus de problèmes! Je ne suis même pas censé te parler de tout ça. Un génie ne peut discuter de ses problèmes personnels avec son maître — page 33 du Code, et c'est souligné deux fois.

— Eh bien! dans ce cas ... Mais, dis-moi, est-ce qu'un seul voeu suffirait?

— S'il tombait dans la bonne catégorie de voeux, oui. Je pourrais toujours mettre un peu plus d'emphase sur le cheval, la légende amérindienne et les chocolats, et expliquer que j'avais pour maîtresse une enfant ...

Amanda lui jeta un regard irrité.

— Nous avons le temps, déclara-t-elle, je pense que nous allons pouvoir t'arranger ça.

Le génie tourna vers elle un visage inondé d'espoir.

— Voici, dit-elle. Tu m'accordes mon voeu d'aujourd'hui sans faire de farce plate et en veillant à ce que rien ne se passe de travers. Et moi, demain, je souhaite ce qu'il faut pour t'assurer ton diplôme. Mais tu dois me procurer une petite soeur et il n'est pas question de la voler, c'est bien compris?

— Compris.

Du fond de sa penderie, Amanda repêcha une grosse poupée au corps mou. Elle n'avait plus de cils et sa chevelure était emmêlée et tout usée.

— Peux-tu te servir de ceci pour me fabriquer une petite soeur?

— Ce serait plus facile d'aller t'en chercher une à la pouponnière, remarqua le génie après avoir examiné la poupée.

— Pas question! Ce serait un enlèvement. Te rends-tu compte que les parents du bébé auraient beaucoup de peine? N'éprouves-tu pas la moindre pitié?

— J'éprouve des sentiments de génie, pas des sentiments d'humains!

— De toute façon, si tu faisais un bébé à partir de cette poupée, elle serait bien à nous et personne ne pourrait nous l'enlever.

— Si c'est ça que tu veux, alors c'est accordé!

Et la poupée disparut. Amanda regarda tout autour, d'un air soupçonneux.

— Où l'as-tu mise?

— Je l'ai déposée sur le seuil de la porte d'entrée. N'est-ce pas de là que viennent les bébés? Et, Amanda, ajouta-t-il tandis que son visage s'empourprait, toutes les mauvaises plaisanteries que je t'ai fait endurer, eh bien! je les regrette. Tu n'es vraiment pas si mal pour une gam . . . pour une pet . . . enfin tu n'es pas si mal.

Et il lui offrit un vrai sourire d'amitié, qu'elle lui rendit d'ailleurs, en s'apercevant qu'elle allait beaucoup le manquer.

— Maintenant, lui conseilla-t-elle, dors sur tes deux oreilles. Je te promets de trouver un voeu au goût du Grand génie.

C'est le sourire aux lèvres, cette fois, que le génie réintégra sa bulle.

CHAPITRE 10

PAS QUESTION!

Au premier coup de sonnette, Amanda se précipita au salon, juste au moment où son père entrebâillait la porte d'entrée.

— Tiens, c'est étrange, il n'y a personne.

Mais avant qu'il ait eu le temps de se rasseoir, la sonnette retentit à nouveau. Cette fois, monsieur Atkins ouvrit tout grand.

— Ah! ces garnements qui sonnent aux portes et se sauvent! marmonna-t-il.

Il allait refermer quand il entendit une faible plainte à ses pieds, une sorte de miaulement.

— Ah! non! grommela-t-il.

Là, sur le seuil, dans un panier d'osier à la mode d'antan, se trouvait un paquet de langes roses d'où s'échappa un autre petit cri.

— Mon doux seigneur! s'exclama madame Atkins.

— C'est un bébé, dit Amanda, qui se pencha pour le soulever.

— Attends une minute, suggéra son père; je vais apporter tout ça en dedans. Dis donc, Amanda, tu comprends quelque chose à cette histoire, toi?

— C'est un bébé, répéta-t-elle.

— Je vois bien que c'est un bébé. La question est de savoir à qui il appartient!

— C'est notre bébé, déclara Amanda. N'est-elle pas mignonne?

Dégageant le visage du poupon, la fillette aperçut des cheveux blonds tout emmêlés et plaqués, exactement comme ceux de sa poupée. Elle le souleva du panier pour le poser sur le sofa.

— Fais attention, dit madame Atkins; tu ne peux pas lancer un bébé n'importe où comme s'il s'agissait d'une poupée!

Mais Amanda n'entendait pas; il lui fallait absolument savoir s'il s'agissait bien d'un vrai bébé. Peut-être le génie s'était-il contenté de rendre la poupée capable de bouger et de pleurer comme un bébé. Retirant les langes, elle dégagea un bras qu'elle tâta de l'épaule à la main, puis elle le fit bouger. Le bras était tiède et se pliait au coude et au poignet, contrairement au bras de la poupée, qui pendait tout simplement depuis l'épaule. Lorsqu'Amanda arriva au poing du bébé, des petits doigts s'ouvrirent et emprisonnèrent ceux de la fillette.

— Un vrai bébé, soupira d'aise Amanda; notre vrai bébé.

— *Notre* bébé? s'exclamèrent en même temps monsieur et madame Atkins. Que veux-tu dire par ça?

Amanda regarda ses parents, puis le bébé, puis ses yeux firent le tour de la pièce.

— Mais enfin, fit-elle remarquer avec un petit rire nerveux, il était sur le seuil de notre porte, donc il doit nous appartenir!

Elle sourit à ses parents qui, pour toute réponse, froncèrent les sourcils.

Les vagissements devinrent bientôt des gémissements. Prenant la petite dans ses bras, madame Atkins se mit à la tapoter dans le dos, pendant que son mari fouillait dans le panier à la recherche d'un message.

— Seule une pauvre personne à l'esprit dérangé aurait pu abandonner ainsi son enfant . . . Eh non, pas de message. Mais voilà toujours un biberon, cependant.

"Une bonne idée qu'il a eue là, mon génie!" apprécia Amanda intérieurement.

— Je vais lui faire chauffer, déclara madame Atkins. Pauvre trésor, elle doit avoir faim. Tiens, Amanda, prends-la en attendant.

La fillette s'assit et s'installa confortablement, le bébé sur ses genoux. Puis elle écarta les langes encore plus. Dans une grimace, le poupon émit quelques petits cris et promena ses poings au hasard, s'accrochant la joue au passage. Puis, tournant la tête, il commença de se sucer les doigts.

— Notre propre bébé à nous! répéta Amanda. N'est-elle pas adorable, hein, maman? hein, papa?

— Une vraie petite poupée, approuva monsieur Atkins, en se penchant sur elle.

Sursautant à ces mots, Amanda regarda son père, craignant qu'il n'eût découvert le pot aux roses. Mais, au bout d'un moment, elle ajouta:

— Nous l'appellerons Sarah, d'accord?

— Minute, papillon! Ce n'est pas notre bébé. Je vais aller faire un tour pour savoir si la personne qui l'a abandonné est encore dans les parages, dit monsieur Atkins en claquant la porte derrière lui.

— Tu ne trouveras personne, cria Amanda, qui se mordit la langue de peur d'avoir trop parlé.

Madame Atkins revint avec le biberon et prit la petite, qui suçait toujours son poing. Amanda lui retira les doigts de la bouche et sa mère en profita pour lui glisser la suce dans le bec, avant même qu'elle n'eût le temps de crier. Satisfaite, Sarah se mit à téter bruyamment, tout en poussant de grands soupirs.

— Nous pouvons la garder, n'est-ce pas, m'man? Elle couchera dans ma chambre et je m'occuperai d'elle.

— Bien sûr que non! coupa madame Atkins. Ne dis pas de sottises. Elle appartient à quelqu'un. Nous allons devoir téléphoner à la police pour qu'on recherche ses parents.

— Mais c'est pour nous qu'on l'a laissée. Nous devons la garder!

Amanda se demandait si, une fois de plus, le génie ne se payait pas sa tête, en dépit de sa promesse; et, en supposant qu'il tenait parole, si ses parents n'allaient pas rejeter le bébé, tout simplement.

Madame Atkins tapota le dos de Sarah, qui éructa bruyamment et bava sur sa manche.

— Ça va mieux, comme ça, n'est-ce pas? chantonna-t-elle. Regarde voir s'il n'y a pas une couche dans le panier, Amanda, ajouta-t-elle en s'essuyant.

— Moi, en tout cas, je l'appelle Sarah, déclara Amanda.

Elle dénicha une couche et la tendit à sa mère.

— Comme elle a la peau douce, admira madame Atkins en la changeant, sur le divan. Mais quelle étrange tache de vin!

En voyant la petite marque rouge sur la poitrine du bébé, Amanda se souvint du jour où elle avait joué au docteur avec sa poupée; elle lui avait dessiné une cicatrice sur l'estomac avec du rouge à lèvres. Plus tard, elle avait bien essayé de la faire disparaître, mais sans succès. Quand le génie avait transformé la poupée en poupon, ça avait dû lui échapper.

— Si la police ne retrouve pas ses parents, nous allons la garder, n'est-ce pas? supplia Amanda.

— Oh! non. Si ses vrais parents ne peuvent s'occuper d'elle, les travailleurs sociaux se chargeront de lui trouver une famille adoptive.

La situation se compliquait un peu trop au goût d'Amanda.

— Mais nous, nous voulons l'adopter, insista-t-elle.

Madame Atkins jeta sur sa fille un regard singulier.

— Je n'ai vu personne, annonça monsieur Atkins qui rentrait au même moment.

Il claqua la porte d'entrée, faisant ainsi sursauter Sarah qui se mit à pleurer. Il la souleva aussitôt dans ses bras.

— Mais non, mais non, le mignon petit trésor en or ne va pas se mettre à pleurer, susurra-t-il en langage bébé; elle est bien trop grande pour cela!

Madame Atkins s'éclipsa pour aller téléphoner à la police.

— S'il te plaît, papa, adoptons-la et appelons-la Sarah.

— Ce n'est pas parce qu'un bébé est adorable qu'on décide de le garder comme s'il s'agissait d'un chaton, Amanda. Un bébé, ça finit par grandir!

— Je sais tout ça. Mais ne l'aimes-tu pas? Ne la trouves-tu pas mignonne?

Amanda mit son doigt dans la main du bébé et Sarah l'agrippa en ouvrant les yeux.

— Tu vois, papa, elle veut rester avec nous!

— C'est certain qu'elle est jolie, mais les bébés coûtent cher, tu sais.

Amanda fronça les sourcils en réfléchissant à tout cela.

— Mais justement, elle est ici avec nous, dit-elle en caressant le dessus de la main de Sarah, et elle n'a pas de parents.

Donc, nous n'avons pas besoin de l'acheter!

— Je ne parle pas d'acheter un bébé, mais de ce qu'il en coûte pour l'élever: les vêtements, la nourriture, les frais médicaux, les lunettes, les dents, les colonies de vacances, et éventuellement, l'université. Je pense que si on n'a pas assez d'argent pour donner à un bébé la chance de partir du bon pied dans la vie, il vaut mieux ne pas en avoir.

Amanda sentait une boule douloureuse se former dans sa gorge et elle avait du mal à articuler.

— Mais tu as toujours dit que les meilleures choses étaient gratuites dans la vie. Un bébé, ça fait partie des meilleures choses, non? Aimer un bébé, c'est ce qu'il y a de meilleur! Et l'amour, est-ce que ça coûte . . .?

Mais elle ne put aller plus loin.

— Allons, ma chérie.

Monsieur Atkins voulut la consoler en lui passant un bras autour de l'épaule, mais Amanda se raidit.

— L'amour est véritablement ce qu'il y a de plus important, reconnut-il, mais ce n'est pas toujours suffisant.

— Nous avons assez d'argent, n'est-ce pas?

— Pour trois personnes, oui. Pas pour quatre.

— Elle ne coûterait pas grand-chose au début, et je me trouverai du travail, comme camelot, comme gardienne... je pourrais même vendre ma bicyclette . . .

— Cette conversation ne mène à rien. Nous ne savons rien de ce poupon. Ses parents vont sans doute se manifester.

Il sourit à sa fille qui appuya la tête sur son épaule.

— Je comprends à quel point tu désires ce bébé, lui dit-il, mais ce n'est pas si simple que cela. C'est un peu comme acheter un cheval: le prix initial est bien peu en regard du coût pour le nourrir, le loger, le faire ferrer . . .

— Et la selle, et la bride . . . poursuivit Amanda, mais elle s'interrompit. Cela semble injuste. Nous ne sommes pas si pauvres que ça après tout! Et puis, peut-être que les peintures de maman vont lui rapporter des milliers de dollars, la semaine prochaine. Ainsi, nous pourrions garder Sarah . . . et acheter Flamme !

Pinçant les lèvres, monsieur Atkins soupira. Amanda comprit qu'il commençait à en avoir assez de cette conversation. Sur ces entrefaites, madame Atkins revint au salon.

— La police sera ici aussitôt que possible. Mais comme il est peu probable qu'on réussisse à trouver un foyer nourricier prêt à se charger du bébé pour la nuit, on m'a demandé si nous pouvions la garder jusqu'au matin, et j'ai accepté. Seulement pour cette nuit, bien entendu !

— Youppi ! Elle pourra coucher dans ma chambre.

Ce soir-là, Amanda s'endormit les yeux sur Sarah, qui reposait tout près dans un lit improvisé, constitué d'oreillers. Le bébé ne s'éveilla qu'à six heures du matin; Amanda s'empressa d'aller lui faire chauffer son biberon et la prit dans son lit pour le lui donner. Elle ressentait une profonde allégresse et les glouglous et les gazouillis du poupon lui donnèrent à penser que Sarah partageait son bonheur.

Plus tard, Amanda emporta le bébé dans la chambre de ses parents et tous les quatre se tassèrent dans le grand lit.

— Vous savez, déclara monsieur Atkins, rêveur, j'en ai assez d'aller travailler jour après jour. Si nous avions beaucoup d'argent, je me contenterais d'un petit emploi à temps partiel. De cette façon, je pourrais, moi aussi, rester à la maison pour m'occuper d'un bébé, conclut-il en riant.

Sans mot dire, Amanda regarda longuement son père.

CHAPITRE 11

FLOCONS DE SAVON, ME VOICI !

Après le petit déjeuner, monsieur et madame Atkins passèrent boire leur café au salon, tandis que Sarah retournait se coucher dans son lit improvisé. Amanda se réfugia dans sa chambre, sortit le tube de dentifrice mauve et dévissa le capuchon orange. Il restait si peu de pâte qu'elle dut rouler le tube vers le haut et le presser très fort pour voir apparaître une toute petite bulle.

— Si je souhaitais de l'argent, est-ce que tu obtiendrais ton diplôme? demanda-t-elle, dès que le génie parut.

— De l'argent? Et comment donc! Voilà en plein ce qu'il faut souhaiter!

Le génie en aurait crié de triomphe, mais il n'avait plus qu'un filet de voix.

— Le Grand génie adore l'argent! Des pièces d'or, des doublons espagnols, ou des diamants et des perles. Que dirais-tu d'un trésor caché?

— Il faut que ce soit de l'argent qu'on peut dépenser.

— Bon, si tu insistes. Alors, un arbre plein d'argent qui pousse dans le jardin, ou une pluie de billets qui tombe du plafond pour inonder toute une pièce. Qu'en dis-tu? Je m'y mets tout de suite!

— Tu n'as donc encore rien compris! l'interrompit Amanda. Mon père et ma mère feraient une syncope si la maison se remplissait ainsi de dollars. Il ne faut pas qu'ils se doutent de leur origine magique!

— Un puits de pétrole dans le jardin?

Amanda fit non de la tête.

— Un oncle riche qui vous lègue sa fortune par testament?

— Je n'ai pas d'oncles riches.

— Je pourrais déposer l'argent dans le compte de banque de tes parents.

Amanda réfléchit une minute, puis hocha la tête:

— Non. Ils croiraient à une erreur.

— Un parfait étranger pourrait t'avoir fait un cadeau par pure gentillesse.

— Ils le rendraient, tout simplement.

— Pour l'amour du ciel, Amanda, qu'est-ce que tu veux que je fasse?

Amanda haussa les épaules.

Ils demeurèrent silencieux quelques minutes. Puis, le génie soupira:

— Je t'avais bien dit que je ne suis qu'un raté... Flocons de savon, me voici!

Sa lèvre inférieure tremblait comme s'il allait pleurer.

— Je t'en prie, pas de larmes! s'indigna Amanda. Réfléchis, plutôt. Je ne sais même pas combien d'argent souhaiter.

— Tu penses probablement qu'une centaine de dollars suffirait, toi qui n'es qu'une gamine!

— Répète ça encore une seule fois, génie, et je te flanque au panier sans même lever le petit doigt pour t'aider!

— M'aider, dis-tu? Mais, c'est *moi* qui te donne de l'argent!

— Oui mais c'est *toi* qui en as besoin pour obtenir ton diplôme!

Le génie détourna les yeux:

— Eh bien, dans ce cas, cesse de lésiner. Si tu ne veux pas que je te fabrique des pièces d'or ou des doublons, souhaite au moins un million de dollars pour que ça en vaille la peine!

— D'accord.

— Tu es certaine que tu ne veux pas qu'il apparaisse dans le salon? Des milliers de billets de cent dollars, c'est très spectaculaire, tu sais!

— Je n'en doute pas, sourit Amanda, mais je connais mes parents: ils n'apprécient pas la magie. Ils sont déjà assez embêtés avec cette histoire de bébé! Dis-moi, ils vont l'adopter, Sarah, n'est-ce pas?

— Mais oui, j'ai tout arrangé ça, hier. Laisse-moi te dire, Amanda, que mon travail serait grandement facilité si les gens appréciaient la magie; hélas, plus personne de nos jours n'a de goût pour le spectaculaire! Mais j'y pense . . . tes parents pourraient le gagner, ce million de dollars!

— Hé! Mais tu l'as! C'est génial! Mon père passe son temps à acheter des billets de loterie. Il pourrait gagner le million!

— Cours vérifier s'il a un billet et n'oublie pas de noter la date du tirage. Fais vite, je suis en train de me volatiliser . . .

La voix du génie n'était plus qu'un murmure. Amanda dut porter le tube à son oreille pour l'entendre.

— Ne peux-tu pas lire dans la pensée de mon père?

— Je suis beaucoup trop faible.

Amanda courut au salon; ses parents s'interrompirent et la regardèrent. Elle allait formuler sa question lorsqu'elle se rendit brusquement compte qu'elle ne pouvait guère demander à son père s'il s'était procuré un billet *gagnant* pour le prochain tirage de la loterie. Cela paraîtrait trop louche.

Elle se précipita donc dans le couloir, pénétra dans la chambre de ses parents où le portefeuille de son père trônait sur la commode. Elle farfouilla dedans, finit par trouver le billet et revint à sa chambre au pas de course.

— Le tirage n'aura lieu que le mois prochain.

— Pas de problème, chuchota le génie. Tu n'auras l'argent qu'à ce moment-là, mais je peux tout de même l'inclure dans mon rapport si je fais le gros du travail maintenant. Pour ce genre de voeu, c'est le moment du souhait qui compte, et non celui où il se réalise.

Il prit un air pensif.

— Et puis, Amanda, je vais aussi m'arranger pour que monsieur Sutherland te vende Flamme. Ses affaires prennent tellement d'expansion qu'il devra s'installer à l'étranger, en laissant Flamme ici. Tu sais, ajouta-t-il dans un sourire, tu n'es vraiment pas si mal, pour une gamine.

— Merci bien . . . mais je ne te reverrai donc plus? demanda Amanda, le coeur gros. Et je ne saurai jamais si tu as obtenu ton diplôme?

— Oh! je vais l'obtenir, maintenant, j'en suis sûr!

La voix du génie faiblissait à mesure que la bulle s'évaporait.

Amanda demeurait assise par terre, le tube de dentifrice vide et tout déformé à la main. Délicatement, elle le déroula et tenta de le débosseler avec ses doigts. Elle se mit à pleurer; malgré toutes les plaisanteries de mauvais goût qu'il lui avait fait subir, elle avait fini par s'habituer à posséder un génie bien à elle et à formuler son voeu quotidien. Comme sa vie était devenue intéressante depuis le jour où elle avait déniché ce tube de dentifrice dans le magasin de monsieur Fung! Amanda espérait de tout son coeur que le génie obtienne son diplôme et qu'il soit heureux!

En dépit de ses tours pendables, le génie lui laissait tout de même Flamme et une petite soeur, et bientôt, sa famille deviendrait riche. Son père pourrait demeurer à la maison pour s'occuper de Sarah pendant que sa mère peindrait, et dans quelque temps, monsieur Sutherland lui vendrait Flamme.

Se rapprochant du bébé endormi, Amanda lui prit la main, doucement. Sarah ouvrit les yeux, des yeux d'un mauve profond qu'Amanda n'avait pas encore remarqués. Fixant sa grande soeur, le bébé agita les mains et désigna du doigt le tube de dentifrice qui s'éleva des mains d'Amanda pour se mettre à voler dans la pièce. Au comble de l'étonnement, Amanda songeait que Sarah n'était certes pas un bébé ordinaire! Mais, bien sûr, sa naissance n'avait rien d'ordinaire non plus!

"Peut-être m'enseignera-t-elle comment faire bouger les objets comme cela? pensait Amanda. En retour, je lui montrerai des tas de choses: comment marcher, lire, et, plus tard, quand elle sera beaucoup plus grande, comment monter Flamme. Et je veillerai sur elle, je la protégerai contre les dangers et je la laisserai m'aider à faire des biscuits."

Regardant le poupon avec un étonnement grandissant, Amanda remarqua la couleur étrange des cheveux de Sarah, qui semblaient avoir pris une teinte nettement verdâtre pendant la nuit . . .

"À moins qu'il s'agisse d'un simple reflet des rideaux..."

Sarah tenait le tube dans ses mains; elle le porta bientôt à sa bouche et l'écriture déteignit toute sur ses lèvres. Amanda se pencha pour essuyer la peinture de peur que le bébé ne l'avale, mais juste à ce moment-là, et juste sous ses yeux, Sarah disparut.

D'abord Amanda crut avoir mal vu. Prostrée, elle fixait les draps en désordre. Puis elle regarda tout autour de la pièce, au cas où Sarah y flotterait à son tour, comme le tube. Mais pas le moindre signe du bébé nulle part. Amanda ne pouvait encore y croire. Elle ne *voulait* pas y croire. Elle vérifia dans sa penderie si la poupée était revenue. Rien . . . Sarah s'était bel et bien envolée! Une fois de plus, le génie manquait à sa parole! Le désespoir d'Amanda se transforma bientôt en furie. Elle avait vraiment cru qu'il tiendrait sa dernière promesse. Elle lui avait réellement fait confiance. Mais soudain, sa rage fit place à l'angoisse: la disparition de Sarah la forcerait à tout avouer à ses parents!

CHAPITRE 12

AFFAIRE CLASSÉE

Arrivant en trombe au salon, Amanda laissa tomber la bombe:

— Sarah est partie!

Et elle éclata en sanglots.

Monsieur et madame Atkins la regardèrent le plus calmement du monde, un léger sourire sur les lèvres, comme si elle venait de leur annoncer que c'était l'heure de la collation ou que le ciel est bleu quand il fait soleil.

— Elle est partie, comprenez-vous? Il s'est encore moqué de moi! Il n'a pas tenu sa promesse!

— Comment ça, elle est partie? s'étonna monsieur Atkins. Et qui est ce drôle qui s'est moqué de toi? Sarah est trop jeune pour se traîner à quatre pattes, elle ne peut tout de même pas s'être sauvée comme ça!

Il alla voir dans la chambre d'Amanda, fouilla le lit improvisé du bébé, tâta les draps, regarda sous le couvre-lit, répéta tous les gestes que sa fille avait faits quelques minutes plus tôt. Il ouvrit la penderie, déplaça même le panier à papier.

— Ça suffit, Amanda, ce n'est plus drôle. Où as-tu mis le bébé?

Toujours en larmes, Amanda répondit:

— Nulle part, c'est ce que j'essaie de t'expliquer. Elle est disparue.

— Les bébés ne disparaissent pas comme ça!

— Mais oui, je te dis.

— Elle ne peut être bien loin, objecta madame Atkins. Même en supposant qu'elle soit capable de se traîner, elle devrait être encore dans la maison.

Se levant d'un bond, elle partit à son tour à la recherche du bébé, flanquée de son mari et de sa fille. Mais tous les trois revinrent au salon, sans Sarah.

— On l'a kidnappée! s'affola-t-elle. Qu'est-ce que nous allons faire? Quand l'as-tu vue pour la dernière fois, Amanda?

— On ne l'a pas kidnappée, affirma Amanda, du moins pas au sens où on l'entend généralement. Le génie a dû la reprendre tout simplement. Vous devriez vous asseoir, conseilla-t-elle à ses parents. Je suis certaine que vous ne me croirez pas, mais il vaut quand même mieux tout vous avouer. Seulement, je vous en prie, ne vous fâchez pas, et ne m'interrompez pas tant que je n'aurai pas terminé. Je ne vous mentirai pas. Tout ceci est vraiment arrivé.

Puis, prenant une grande respiration, elle commença:

— J'avais un génie. Il vivait dans un tube de dentifrice. Tu te souviens, maman, la dernière fois que j'ai posé pour toi, tu m'as envoyée au magasin; eh bien, c'est ce jour-là que je l'ai acheté, oh! par pur hasard, car je n'avais pas du tout l'intention de me procurer un génie... même s'il prétend que les génies ne se laissent pas acheter par n'importe qui.

Maintenant qu'elle avait commencé son récit, Amanda se sentait étrangement calme. Même si elle jugeait important que ses parents la croient, elle ne pouvait pas faire grand-chose pour les y forcer, sinon raconter son histoire. Mais c'est précisément son calme qui impressionna ses parents, à tel point qu'ils étaient convaincus qu'elle n'inventait rien.

— Si tu as un génie, coupa pourtant son père, où est-il? Peux-tu nous le montrer?

— *J'avais* un génie. Il est parti. Il avait fait son temps.

— Mais je ne vois pas le rapport entre ton génie et le bébé? insista-t-il.

Depuis le début du récit d'Amanda, madame Atkins ne quittait pas sa fille des yeux et paraissait plus intéressée encore que son mari.

— Ton père semble au comble de la confusion; pourquoi ne reprends-tu pas depuis le début?

Amanda raconta donc son histoire calmement, en toute simplicité. Ses parents éclatèrent de rire quand elle leur narra l'apparition du cheval dans sa chambre. Et à la fin, ils partagèrent entièrement son indignation envers le génie qui n'avait pas su respecter les termes de son contrat.

— Je sais bien que c'est difficile à croire, conclut Amanda, et je n'ai pas la moindre preuve à vous apporter, car Sarah est partie avec le tube de dentifrice et c'est tout ce que j'avais. Est-ce que vous me croyez?

— Eh bien! . . . Je . . . commença monsieur Atkins.

— Attendez-moi une minute, interrompit madame Atkins. Je reviens tout de suite.

— C'est quand même farfelu! dit monsieur Atkins. Je n'ai jamais rien entendu de si abracadabrant. Ou bien tu es une conteuse d'histoire hors pair, ou bien ton récit est véridique. Mais c'est impossible! Je n'arrive pas à croire que le bébé soit disparu.

Et il regarda autour de lui, comme s'il s'attendait à voir Sarah gazouiller dans son panier.

— J'ai peine à y croire moi-même, avoua Amanda avec tristesse, maintenant qu'il ne me reste plus rien. J'ai perdu Flamme, j'ai perdu Sarah, et nous ne gagnerons probablement pas le gros lot non plus. Tout un génie que j'avais là!

Madame Atkins descendit de son studio, portant une grande toile.

— Dis-moi, Amanda, est-ce à ceci qu'il ressemblait, ton génie? demanda-t-elle.

Sur la toile, Amanda reconnut le portrait du génie, se détachant sur fond mauve pâle. Il avait les yeux mi-clos, comme quelqu'un qui a sommeil mais que les soucis empêchent de dormir. Il tenait sa pipe d'une main, tandis que de l'autre il tentait de l'allumer. Son pagne était exactement de la bonne couleur, tout comme ses cheveux avaient exactement la même teinte de vert que ceux du vrai génie. Cette peinture, cependant, ressemblait très peu aux oeuvres habituelles de madame Atkins.

— Mais c'est lui! Très exactement! Où l'as-tu vu?

Madame Atkins appuya la toile contre la table à café et s'assit de façon à pouvoir la regarder.

— Je ne l'ai pas vu, ou plutôt, je ne l'ai pas vu durant le jour. Je ne savais même pas qu'il se trouvait dans la maison. Je l'ai vu en rêve, du moins je pensais l'avoir vu en rêve, trois nuits de suite. Je ne sais trop ce qui est réel et ce qui ne l'est pas. Je ne sais pas distinguer entre la magie et l'inspiration artistique; je pensais que le génie était une inspiration que j'avais eue; je ne pensais pas qu'il existait. Mais je sais que c'est ainsi que je devais le peindre.

— Tu seras bien obligé de me croire, papa, maintenant que nous avons son portrait!

— Mais c'est si invraisemblable, objecta monsieur Atkins, complètement ahuri; enfin, je veux dire, je *sais* que ça ne peut pas être vrai ... C'est tout simplement le genre de choses que mon esprit refuse d'admettre. Donc, je ne peux pas vraiment y croire.

Il s'arrêta un moment, puis reprit:

— Le mieux que je puisse faire, sans doute, c'est de ne pas refuser d'y croire.

— Nous sommes d'accord, n'est-ce pas, Amanda? fit madame Atkins. Il y a des tas de choses que nous ne savons qu'instinctivement, des croyances que nous devons accepter sur une base de foi et non d'intelligence.

— Veux-tu dire que j'aurais pu vous parler du génie dès le début? Que je n'avais pas besoin de me mettre dans le pétrin avec l'affaire du poisson? Que j'aurais pu faire sortir Flamme par la porte de la cuisine comme si de rien n'était, sans avoir à le cacher dans la salle de bains?

Ses parents sourirent tous les deux.

— Mais j'avais peur de passer pour une folle. Je m'imaginais que vous ne croyiez pas à la magie!

— Je n'y aurais peut-être pas cru, dit monsieur Atkins, mais j'aurais certainement aimé le voir, ton génie, surtout quand il sortait du tube de dentifrice.

Ils gardèrent les yeux fixés sur le portrait pour quelques minutes. Tout à coup, jetant un coup d'oeil par la fenêtre, madame Atkins se leva d'un bond:

— Bonté divine! Voilà un policier! Mais qu'est-ce que nous allons lui dire? Il va croire que nous avons tué le bébé!

— Oh! J'avais complètement oublié! s'énerva monsieur Atkins. Nous lui dirons . . .

— Quoi au juste? s'alarma-t-elle, marchant de long en large.

— La vérité, peut-être? suggéra Amanda.

Mais ses parents ne tinrent aucun compte de sa remarque.

— Disons-lui que la personne qui avait abandonné le bébé est revenue, émit monsieur Atkins.

— C'est ça, renchérit madame Atkins, qu'il s'agissait d'une erreur.

— Ou que j'ai voulu vous jouer un tour, proposa Amanda.

Les Atkins se regardèrent, embarrassés. Et, juste au moment où Amanda allait suggérer qu'ils aillent tous les trois se cacher dans le sous-sol, la sonnette retentit. Prenant une grande respiration, monsieur Atkins alla ouvrir.

— Bonjour! salua le policier. Je viens au sujet du bébé abandonné.

— Simple erreur, monsieur l'agent, sourit monsieur Atkins, tout en se balançant de haut en bas sur ses talons; en fait, la personne est revenue le chercher. Changé d'idée, faut croire! Ou peut-être une mauvaise plaisanterie!

— Elle a souffert d'un choc émotionnel, ajouta madame Atkins. Une sorte de réaction nerveuse . . . à la suite d'une dispute avec son mari . . . apparemment.

Amanda n'en revenait pas: c'était bien la première fois qu'elle entendait ses parents mentir! Le génie semblait vraiment capable de provoquer chez les gens des comportements inhabituels.

Entrant dans la maison, le policier sortit son carnet.

— Cette histoire me paraît plutôt bizarre. Donnez-moi le nom de cette femme. Il va falloir que je vérifie vos déclarations.

Monsieur et madame Atkins échangèrent un regard.

— Nous . . . nous ne savons pas son nom . . . ça s'est passé si vite.

Amanda se rendait bien compte que le policier ne croyait pas à cette histoire; elle-même n'y aurait pas cru. Elle s'avança donc et prit la parole:

— C'est ma faute, monsieur. Je désirais tellement que nous ayons un bébé que j'en ai . . . emprunté un. Mes parents n'y sont pour rien. Et le bébé est rentré chez lui maintenant.

Le policier braqua les yeux sur Amanda; monsieur et madame Atkins en firent autant. Puis, le policier prit un air sévère.

— Les circonstances de cette affaire me paraissent assez compromettantes, commenta-t-il. D'abord, vous nous appelez pour rapporter qu'un bébé a été abandonné, puis vous omettez de nous rappeler quand vous découvrez qu'il n'a pas vraiment été abandonné. D'autre part, vous ne semblez pas au courant des faits et gestes de votre fille. Êtes-vous sûrs que vous n'avez pas tout simplement voulu vous payer la tête de la police? Hein? Savez-vous qu'il s'agit là d'un délit très grave?

— Ce n'est pas ça du tout, monsieur l'agent, je vous assure. Et nous avons réglé le problème avec notre fille. Nous n'aurions peut-être pas dû vous téléphoner hier soir, mais nous ne savions pas trop où donner de la tête.

— Comment puis-je être certain de tout ça, hein? Qu'est-ce qui me prouve que vous n'avez pas abandonné le bébé ailleurs? À un endroit où on ne le retrouvera pas de sitôt?

— Oh! nous ne ferions jamais une chose semblable! intervint Amanda.

— Je vais quand même noter tous les détails de l'affaire, au cas où la nature des faits justifierait la tenue d'une enquête, car ça m'apparaît assez sérieux.

Traversant la pièce, le policier alla s'asseoir sur le divan, ouvrit son carnet et sortit sa plume. Il aperçut le portrait du génie, toujours appuyé contre la table. Il y jeta un coup d'oeil distrait, fronça les sourcils, et revint à son carnet. Mais ce fut plus fort que lui: le portrait attirait irrésistiblement son regard. Il le fixa un bon moment, tandis que, sur son visage, le mécontentement et l'incrédulité faisaient place d'abord à la surprise, puis à la satisfaction. Les Atkins, qui l'observaient, échangèrent des regards anxieux.

— Bon ... tout est parfait, déclara le policier en se levant. Vous avez trouvé un bébé abandonné sur le seuil de votre porte, mais on l'a réclamé par la suite. Il est maintenant entre bonnes mains et votre fille n'a rien fait de mal. Tout est donc pour le mieux. Affaire classée. Et je comprends fort bien pourquoi vous n'avez pas rappelé pour rectifier les faits. Désolé de vous avoir dérangés. Bonjour.

La voiture du policier était déjà disparue au coin de l'avenue que les Atkins se regardaient encore, comme s'ils sortaient d'un rêve.

— Qu'est-ce qui lui est arrivé, d'après vous? finit par dire monsieur Atkins. Il a perdu la boule ou quoi?

— Je n'en sais rien, répondit madame Atkins en s'écroulant dans un fauteuil, jambes allongées devant elle. Mais qu'importe! Il est parti sans nous mettre en état d'arrestation, c'est ce qui compte.

— Je me demande bien, tout de même, ce qui a pu lui faire changer d'idée.

— C'est moi, déclara la voix du génie.

— Mais où es-tu donc? demanda Amanda.

— Où est *qui* ? voulut savoir madame Atkins.

— Le génie. Il vient de dire: "c'est moi." Ne l'avez-vous pas entendu?

— Non, dit madame Atkins.

— Moi non plus, admit monsieur Atkins.

— Mes parents ne peuvent-ils pas t'entendre? s'enquit Amanda.

— Non, toi seulement. Et tu sais où je suis.

Sur la toile, Amanda aperçut le génie qui se berçait doucement au milieu de son portrait. Sauf que cette fois, il portait sur la tête une petite toque rouge.

— Ne peuvent-ils pas te voir?

— Non, tu es la seule personne qui puisse me voir et m'entendre; remarque qu'il m'a fallu obtenir une dispense spéciale pour revenir, tu sais.

— Eh bien, j'en suis ravie, persifla Amanda, ton obligeance me touche infiniment! Quand je pense que tu n'as même pas été capable de tenir ta dernière promesse! Il fallait que tu m'enlèves Sarah, n'est-ce pas? J'espère, en tout cas, que tu ne l'as pas obtenu, ton diplôme. Avec le pétrin dans lequel tu nous as tous mis, mes parents et moi!

— C'est pour cela que je suis revenu. Je suis sincèrement désolé à propos de Sarah. Je ne le savais pas, mais figuretoi que je ne suis pas capable de fabriquer un bébé humain. Je peux seulement faire des bébés génies. Mais je l'ignorais, je t'assure. Encore une fois, je m'en excuse.

— Je n'ai que faire de tes excuses! Je parie que tu le savais depuis le début. Mais tu n'as pu résister à l'envie de te moquer de moi encore une fois. Après tout ce que j'ai fait pour t'aider!

— Oh! Amanda, dis-moi tout ce que tu voudras si ça peut te soulager, je le mérite; et c'est vrai que tu m'as aidé. Quant à mon diplôme, je l'ai obtenu. Regarde ma toque de graduation.

Ce disant, il souleva sa coiffe et l'admira un moment avant de la replacer sur sa tête.

— Écoute, poursuivit-il, il y a des omissions dans le Code, entre autres la fabrication des bébés. Techniquement, ça aurait dû marcher, car j'avais un objet de départ, un objet qui avait même la forme voulue. Mais quand j'ai vérifié auprès du Grand génie, j'ai appris que les génies ne pouvaient donner la vie qu'à des génies, comme les humains ne peuvent donner la vie qu'à des humains. De même que les vaches ne peuvent mettre au monde des porcelets, ni les ourses des poulains, les génies ne peuvent pas faire des bébés humains. Je l'ignorais. J'aurais vraiment voulu réussir pour te faire plaisir, mais maintenant, ta seule chance d'avoir un bébé, c'est que tes parents en désirent un. De toute façon, tu sais, tu n'aurais guère aimé avoir un bébé génie autour de toi: il n'y a rien de plus espiègle ou de plus taquin qu'un bébé génie. Nous nous assagissons avec l'âge.

— J'ai vu ça! railla Amanda.

Elle était toujours fâchée, mais le repentir du génie semblait si sincère qu'elle ne pouvait pas ne pas y croire.

— C'était quand même pas très chic de ta part de nous donner Sarah et de nous faire subir ensuite toutes sortes de tracasseries, reprit-elle d'une voix radoucie. Tout ce qu'il me reste, maintenant, c'est une belle écriture.

— Et des souvenirs! Nous nous sommes bien amusés, tous les deux, n'est-ce pas, malgré mes petites folies?

Amanda fit oui de la tête.

— Et Sarah a rappelé à tes parents le charme des bébés.

Amanda approuva encore une fois.

— Et, dans un mois, Flamme t'appartiendra.

— C'est vrai.

— Et parce que ta mère est une artiste, tu as même un portrait de moi; ça, tu sais, c'est tout à fait irrégulier! J'espère seulement que le Grand génie ne l'apprendra jamais.

Amanda sourit: l'espace d'un instant, le génie avait retrouvé ses anciennes intonations. Il ne pouvait, semblait-il, rien faire comme les autres.

"Si j'avais été le Grand génie, songeait Amanda, je ne pense pas que je lui aurais donné son diplôme!"

— Mais j'y pense, n'es-tu pas Grand génie toi-même, maintenant? lui demanda-t-elle.

— Ma foi oui, tu as raison, dit le génie dont les joues s'épanouirent en deux bosses mauves éclatantes soulignées d'un large sourire. Je l'oublie toujours. Adieu, dentifrice! Adieu, flocons de savon! Désormais, ma vie se résume à flotter... Et je ferais mieux de flotter hors d'ici à l'instant! Les génies ne sont pas censés retourner sur les lieux d'un séjour antérieur, page 58 du Code. Merci encore, Amanda, et mes excuses pour l'histoire de Sarah. Incidemment, elle te fait dire bonjour. Qui sait si vos routes ne se croiseront pas quand elle sera apprentie à son tour? D'ailleurs, je vais ajouter une clause dans le Code au sujet des bébés. Salut!

Et, sur la toile, le génie reprit l'aspect que lui avait donné madame Atkins en le peignant.

— Oh, zut! s'écria Amanda, j'ai oublié de lui demander si nous allions quand même gagner à la loterie.

— Attendons et nous verrons bien, conclut monsieur Atkins.

Amanda se prit à penser qu'après toutes les émotions du dernier mois, il faisait bon de laisser le temps suivre son cours et d'attendre les événements, comme tout le monde.

— Tu as raison, approuva-t-elle, nous verrons bien.

TABLE DES MATIÈRES

ACHEVÉ   D'IMPRIMER
EN   FÉVRIER   1984
SUR   LES   PRESSES   DE
PAYETTE & SIMMS INC.
À SAINT-LAMBERT, P.Q.